caixa de
pássaros

caixa de pássaros

josh malerman

Tradução de Carolina Selvatici

intrínseca

TÍTULO ORIGINAL
Bird Box

PREPARAÇÃO
Isabela Fraga

REVISÃO
Marcela de Oliveira
Carolina Rodrigues

DIAGRAMAÇÃO
ô de casa

CIP-BRASIL. CATALOGAÇÃO-NA-FONTE
SINDICATO NACIONAL DOS EDITORES DE LIVROS, RJ

M213c

Malerman, Josh
Caixa de pássaros / Josh Malerman ; tradução Carolina Selvatici. - 1. ed. - Rio de Janeiro: Intrínseca, 2015.

272 p. ; 23 cm.
Tradução de: Bird box
ISBN 978-85-8057-652-8

1. Contos de horror. 2. Ficção americana. I. Selvatici, Carolina. II. Título.

13-04013 CDD: 839.313
CDU: 821.112.5-3

[2015]

EDITORA INTRÍNSECA LTDA.
Rua Marquês de São Vicente, 99/3º andar
22451-041 — Gávea
Rio de Janeiro — RJ
Tel./Fax: (21) 3206-7400
www.intrinseca.com.br

Às vezes eu gostaria de ser arquiteto para poder dedicar um edifício a uma pessoa. Uma superestrutura que romperia as nuvens e continuaria subindo até o âmago do céu. E se este livro fosse feito de tijolos em vez de palavras, eu realizaria uma cerimônia, convidaria todas as minhas lembranças obscuras e cortaria a fita inaugural com um machado para que todos pudessem ver o nome do edifício pela primeira vez. Ele se chamaria Debbie.

Mãe, este livro é para você.

um

Malorie está na cozinha, pensando.

Tem as mãos úmidas. Treme. Bate o pé, nervosa, no piso de azulejos rachados. É cedo. O sol ainda deve estar surgindo no horizonte. Ela observa a luz parca clarear as pesadas cortinas pretas e pensa:

Isso foi a neblina.

As crianças dormem sob a grade de arame coberta com tecido preto, no fim do corredor. Talvez tenham escutado a mãe alguns momentos antes no quintal, de joelhos. Qualquer barulho que ela possa ter feito com certeza passou pelos microfones e chegou até os amplificadores ao lado de suas camas.

Ela olha para as mãos e detecta um brilho sutil à luz da vela. É, estão úmidas. O orvalho da manhã continua fresco sobre elas.

Na cozinha, Malorie respira fundo antes de soprar a vela. Ela observa o pequeno cômodo, notando os utensílios enferrujados e a louça rachada. A caixa de papelão usada como lata de lixo. Algumas das cadeiras que só se mantêm inteiras amarradas com barbante. As paredes estão sujas. Marcas dos pés e das mãos das crianças. Mas há manchas mais antigas também. A parte inferior das paredes do corredor mudou de cor por causa de manchas de um roxo profundo, que foram ficando amarronzadas com o tempo. São de sangue. O carpete da sala de estar também não recupera a cor original, não importa quanto Malorie o esfregue. Não há produtos na casa para ajudá-la a limpá-lo. Muito tempo atrás, Malorie encheu baldes com água do poço e, vestindo um paletó, tentou tirar as manchas da casa inteira. Mas elas se recusaram a sair. Até as menos persistentes se mantiveram, talvez uma sombra do tamanho original, mas ainda eram horrivelmente visíveis. Uma caixa de velas esconde uma mancha no hall de entrada. O sofá da sala fica posicionado em um ângulo estranho para disfarçar duas marcas que, para Malorie, parecem cabeças de lobo. No segundo andar, perto da escada do sótão, uma pilha de casacos mofados camufla riscos roxos entranhados no pé da parede. Três metros à frente fica a mancha mais escura da casa. Malorie não usa aquela parte na extremidade do segundo andar porque não consegue passar por ali.

Um dia, esta já foi uma bela casa em um belo bairro dos arredores de Detroit. Um dia, ela foi segura, perfeita para uma família. Há apenas cinco anos, um corretor de imóveis a teria exibido com orgulho. Mas, nesta manhã, as janelas estão tapadas com papelão e tábuas de madeira. Não há água corrente. Um grande balde de madeira está apoiado na bancada da cozinha. Exala um cheiro ruim. Não há brinquedos convencionais para as crianças. Pedaços da madeira de uma cadeira foram entalhados na forma de pequenos bonecos. Pintaram rostinhos neles. Os armários estão vazios. Não há quadros nas paredes. Fios passam por baixo da porta dos fundos e chegam até os quartos do primeiro andar, onde amplificadores alertam Malorie e as crianças para qualquer barulho que venha de fora da casa. Os três vivem assim. Ficam bastante tempo sem sair. E, quando saem, estão vendados.

As crianças nunca viram o mundo exterior à casa. Nem pelas janelas. E Malorie não o vê há mais de quatro anos.

Quatro anos.

Ela não precisa tomar a decisão hoje. É outubro em Michigan. Está frio. Uma viagem de trinta e dois quilômetros pelo rio vai ser difícil para as crianças. Talvez ainda sejam muito pequenas. E se uma delas cair na água? O que Malorie faria, vendada?

Um acidente, pensa ela. *Que horror. Depois de tanta luta, de tanta sobrevivência. Morrer por causa de um acidente.*

Malorie olha para as cortinas. Começa a chorar. Quer gritar com alguém. Quer implorar a qualquer pessoa que possa ouvir. *Isso não é justo,* diria. É cruel.

Ela olha por cima do ombro para a entrada da cozinha e para o corredor que leva ao quarto das crianças. Naquele cômodo sem porta, seus filhos dormem profundamente, cobertos por um tecido preto, escondidos da luz e da vista. Não se mexem. Não mostram sinal algum de estarem acordados. Mas talvez estejam escutando a mãe. Às vezes, por conta de toda a pressão que sofrem para prestarem atenção aos sons, por toda a importância que depositou nos ouvidos deles, Malorie acredita que os dois são capazes de ouvi-la pensar.

Ela poderia esperar por um céu mais ensolarado, por calor, por mais atenção ao barco. Poderia informar as crianças, ouvir o que têm a dizer. As sugestões delas talvez fossem boas. Têm apenas quatro anos, mas foram treinadas para *ouvir*. São capazes de ajudar a guiar um barco às cegas. Malorie não conseguiria fazer a viagem sem elas. Precisa dos ouvidos dos filhos. Será que também poderia considerar os conselhos deles? Será que, aos quatro anos, aquelas crianças poderiam opinar sobre *quando* seria o melhor momento para abandonar a casa para sempre?

Malorie desaba em uma cadeira na cozinha e luta contra as lágrimas. O pé descalço ainda bate, nervoso, no piso de linóleo gasto. Devagar, ela olha para o alto da escada do porão. Ali conversou certa vez com um homem chamado Tom sobre um homem chamado Don. Olha para a pia, para onde Don, em outra ocasião, levou baldes de água do poço, tremendo, abalado por ter saído da casa. Inclinando-se para a frente, ela é capaz de ver o hall de entrada, onde Cheryl costumava preparar a comida dos pássaros. E entre a cozinha e a porta da frente está a sala de estar, silenciosa e escura, carregada de lembranças demais de pessoas demais, quase impossíveis de digerir.

Quatro anos, pensa ela, querendo socar a parede.

Malorie sabe que quatro anos podem facilmente virar oito. Oito se tornarão doze em um instante. E então as crianças serão adultas. Adultos que nunca viram o céu. Nunca olharam por uma janela. O que doze anos vivendo como gado fariam com suas cabeças? Será que há um momento em que as nuvens do céu passam a existir apenas em suas mentes e o único lugar onde os filhos se sentirão à vontade será atrás do tecido negro das vendas?

Malorie engole em seco e se imagina criando os filhos sozinha até que se tornem adolescentes.

Será que ela conseguiria? Seria capaz de protegê-los por mais dez anos? Conseguiria cuidar deles até que pudessem cuidar dela? E para quê? Para que tipo de vida ela os está protegendo?

Você é uma péssima mãe, pensa Malorie.

Por não encontrar uma maneira através da qual os filhos possam conhecer a vastidão do céu. Por não achar um jeito que os permita correr livres pelo quintal, pela rua, pelo bairro de casas vazias e carros velhos. Ou por nunca conceder a eles uma única olhadela rápida para o espaço, no momento em que o céu de repente escurece e é tomado por lindas estrelas.

Você está salvando a vida deles para que tenham uma vida que não vale a pena.

Com a visão embaçada pelas lágrimas, Malorie observa as cortinas clarearem mais um tom. Se houver uma neblina do lado de fora, não durará muito tempo. E, se aquilo puder ajudá-la, se puder escondê-la com as crianças enquanto caminham até o rio, para o barco a remo, então ela tem que acordá-las naquele momento.

Malorie bate a mão na mesa da cozinha e enxuga os olhos.

Levanta-se, deixa a cozinha, entra no corredor e, depois, no quarto das crianças.

— Garoto! — grita. — Menina! Acordem.

O quarto está escuro. A única janela está tapada com tantos cobertores que, mesmo em seu auge, a luz do sol não consegue entrar. Há dois colchões, um em cada canto do quarto. Acima deles há domos negros. Muito tempo atrás, a grade de arame que sustenta o tecido era usada para cercar o pequeno jardim próximo ao poço, no quintal da casa. Mas, nos últimos quatro anos, ela serviu como armadura, protegendo as crianças não do que poderia vê-las, mas do que *elas* poderiam ver. Embaixo do arame, Malorie ouve os filhos se movimentarem e se ajoelha para soltar a grade pregada ao chão de madeira do quarto. Já está tirando as vendas do bolso quando as duas crianças olham para ela com expressões sonolentas, surpresas.

— Mamãe?

— Levantem-se. Agora. Mamãe precisa que vocês sejam rápidos.

As crianças reagem depressa. Não reclamam nem choramingam.

— Para onde vamos? — pergunta a Menina.

Malorie entrega a venda a ela e diz:

— Ponha isto. Vamos para o rio.

Os dois pegam as vendas e amarram o tecido preto com firmeza sobre os olhos. Conhecem bem aquele gesto. São especialistas nisso, se é que é possível ser especialista em alguma coisa aos quatro anos. Aquilo parte o coração de Malorie. São apenas crianças e deveriam estar curiosas. Deveriam perguntar à mãe por que estão indo naquele dia para o rio, um rio onde nunca estiveram.

No entanto, apenas fazem o que ela manda.

Malorie ainda não coloca a própria venda. Vai arrumar as crianças primeiro.

— Leve seu quebra-cabeça — pede à Menina. — E peguem os cobertores, vocês dois.

A agitação que ela sente é indescritível. Está mais para histeria. Andando de um cômodo para outro, Malorie confere tudo, pequenos objetos de que podem precisar. De repente, sente-se terrivelmente despreparada. Está insegura, como se a casa e a terra abaixo dela houvessem desaparecido, expondo-a ao mundo exterior. Entretanto, no desespero daquele momento, ela se agarra com força ao conceito da venda. Não importa quais ferramentas leve, não importa qual objeto da casa seja usado como arma, ela sabe que as vendas são a maior proteção para ela e os filhos.

— Tragam seus cobertores! — lembra Malorie às crianças, ouvindo os dois pequenos corpos se prepararem.

Então ela entra no quarto para ajudá-las. O Garoto, pequeno para a idade mas com uma resistência da qual Malorie se orgulha, está decidindo entre duas camisetas grandes demais para ele. Ambas pertenceram a um adulto, que se foi há muito tempo. Malorie escolhe uma para ele e observa seu cabelo escuro desaparecer em meio ao tecido e depois brotar de novo pela gola. Naquele estado de ansiedade, ela percebe que o Garoto cresceu um pouco nos últimos tempos.

A Menina, de tamanho normal para a idade, está tentando enfiar um vestido pela cabeça, uma roupa que ela e Malorie costuraram a partir de um lençol velho.

— Está frio lá fora, Menina. Um vestido não será suficiente.

A Menina franze a testa. Seu cabelo louro está bagunçado, pois ela acordou há pouco tempo.

— Vou botar uma calça também, mamãe. E vamos levar nossos cobertores.

A raiva irrompe em Malorie. Ela não quer resistência alguma. Não naquele dia. Mesmo que a Menina esteja certa.

— *Nada de vestido hoje.*

O mundo exterior, os shoppings e os restaurantes vazios, os milhares de carros abandonados, os produtos esquecidos nas prateleiras ociosas das lojas: tudo exerce uma pressão sobre a casa. Tudo sussurra o que os espera lá fora.

Ela pega um casaco para as crianças no armário de um pequeno quarto no fim do corredor. Então sai do cômodo pelo que sabe que será a última vez.

— Mamãe — chama a Menina, encontrando-a no corredor. — Vamos precisar das buzinas de bicicleta?

Malorie suspira.

— Não — responde. — Vamos ficar todos juntos. A viagem toda.

Enquanto a Menina volta para o quarto, Malorie pensa em como aquilo é patético, o fato de buzinas de bicicleta serem a maior diversão de seus filhos. Os dois brincam com elas há anos. A vida toda buzinaram pela sala. O barulho alto costumava deixar Malorie irritada. Mas ela nunca proibiu as buzinas. Nunca as escondeu. Mesmo nos primeiros anos ansiosos da maternidade, ela entendia que, naquele mundo, tudo que fazia as crianças rirem era algo bom.

Mesmo que assustassem Victor com aquilo.

Ah, como Malorie sente falta daquele cachorro! Quando começou a criar os filhos sozinha, os planos de navegar pelo rio incluíam Victor, o border collie, sentado ao lado dela no barco a remo. Victor a alertaria se algum animal se aproximasse. Ele poderia até conseguir afastar alguma coisa.

— Certo — diz Malorie, com o corpo magro encostado na porta do quarto das crianças. — Pronto. Agora vamos.

Houve momentos, tardes sossegadas, noites tempestuosas, em que Malorie avisou aos filhos que aquele dia poderia chegar. Sim, ela já havia falado sobre o rio. Sobre uma viagem. Tomara cuidado para nunca chamar aquilo de "fuga" porque não admitia a possibilidade de as crianças pensarem que a vida delas era algo de que precisavam fugir. Em vez disso, ela os alertava sobre uma possível manhã, quando os acordaria, com pressa, e exigiria que se aprontassem para deixar a casa para sempre. Sabia que os dois percebiam a insegurança da mãe, assim como podiam ouvir uma aranha subindo pelo vidro de uma janela coberta. Durante anos, ela separara uma pequena bolsa de comida, que ficava reservada num canto do armário até estragar, sendo sempre substituída, sempre abastecida. Essa era a prova de Malorie, a evidência de que ela *poderia* acordá-los como dizia que iria fazer. *A comida no armário faz parte de um plano*, pensava ela enquanto conferia as cortinas, nervosa, *entenderam?*

E agora o dia havia chegado. Aquela manhã. Aquela hora. Aquela *neblina*.

O Garoto e a Menina se aproximam e Malorie se ajoelha diante deles. Ela confere as vendas. Estão bem firmes. Naquele instante, olhando de um rostinho para outro, compreende que, finalmente, a jornada dos três para fora dali começou.

— Escutem o que vou dizer — começa Malorie, segurando o queixo dos filhos. — Vamos descer o rio em um barco a remo hoje. Pode ser uma viagem longa. Mas é fundamental que vocês dois façam tudo que eu mandar. Entenderam?

— Entendemos.

— Entendemos.

— Está frio lá fora. Vocês estão com os cobertores. E com as vendas. Não vão precisar de mais nada agora. Entenderam?

— Entendemos.

— Entendemos.

— Nenhum de vocês pode tirar a venda, sob nenhuma circunstância. Se fizerem isso, vou machucar vocês. Entenderam?

— Entendemos.

— Entendemos.

— Preciso dos ouvidos de vocês. Preciso que escutem com o máximo de atenção que puderem. No rio, vão ter que ouvir além da água, além da floresta. Se ouvirem algum animal na floresta, me avisem. Se ouvirem qualquer coisa na água, me avisem. Entenderam?

— Entendemos.

— Entendemos.

— *Não* façam perguntas que não tenham relação com o rio. Você vai ficar sentado na frente — diz, dando um tapinha no ombro do Garoto. Depois, toca a Menina. — E você, na parte de trás. Quando entrarmos no barco, vou guiá-los para esses lugares. Vou ficar no meio, remando. Não quero que conversem, a não ser que seja sobre algo que ouviram na floresta. Ou no rio. Entenderam?

— Entendemos.

— Entendemos.

— Não vamos parar por motivo algum. Não até chegarmos aonde estamos indo. Vou avisar quando for a hora. Se ficarem com fome, comam algo desta bolsa.

Malorie leva a bolsa até as pequenas mãos dos filhos.

— Não durmam. Não durmam de *jeito nenhum*. Preciso dos ouvidos de vocês, hoje mais do que nunca.

— Vamos levar os microfones? — pergunta a Menina.

— Não.

Enquanto fala, Malorie olha de um rosto vendado para o outro.

— Quando sairmos daqui, vamos dar as mãos e seguir o caminho até o poço. Entraremos pela pequena clareira na floresta que fica atrás da nossa casa. O caminho até o rio é cheio de mato. Talvez a gente tenha que soltar as mãos em alguns momentos, então, se for preciso, quero que segurem no meu casaco ou no casaco um do outro. Entenderam?

— Entendemos.

— Entendemos.

Será que estão com medo?

— Prestem atenção. Vamos para um lugar que nenhum de vocês conhece. Nunca estiveram tão longe desta casa. Muitas coisas lá fora podem acabar machucando vocês ou a mamãe se não me ouvirem agora, hoje.

As crianças estão em silêncio.

— Entenderam?

— Entendemos.

— Entendemos.

Malorie treinou bem os filhos.

— Tudo bem — diz, e sua voz revela um sinal de histeria. — Vamos embora. Vamos embora agora. *Vamos embora.*

Ela pressiona a cabeça dos dois na própria testa.

Depois pega as crianças pela mão. Os três atravessam a casa rapidamente. Na cozinha, trêmula, Malorie enxuga os olhos e tira a própria venda do bolso. Ela a amarra em torno da cabeça e do cabelo escuro e comprido. E para, com a mão na maçaneta, diante da porta que se abre para o caminho que já percorreu tantas vezes para pegar baldes de água.

Está prestes a abandonar a casa. A concretude do momento a deixa atordoada.

Quando abre a porta, o ar frio entra e Malorie dá um passo à frente, a cabeça zonza, cheia de medo e possibilidades terríveis demais para mencionar diante das crianças. Ela gagueja ao falar e quase grita:

— Segurem a minha mão. Os dois.

O Garoto pega a mão esquerda de Malorie. A Menina aperta a direita com seus dedinhos.

Vendados, os três saem da casa.

O poço fica a quase vinte metros dali. Pequenos pedaços de madeira, antes parte de molduras, marcam o caminho e foram colocados para indicar a direção certa. Ambas as crianças já tocaram na madeira com a ponta dos sapatos inúmeras vezes. Malorie, certa vez, disse a elas que a água do poço era o único remédio de que poderiam precisar. Ela sabe que, por isso, seus filhos sempre respeitaram o poço. Nunca reclamaram de buscar água com a mãe.

Agora no poço, o chão fica irregular sob os pés dos três. Parece pouco natural, macio.

— Aqui está a clareira — avisa Malorie.

Ela guia as crianças com cuidado. Outro caminho se inicia a dez metros do poço. Sua entrada é estreita e demarca o começo da floresta. O rio fica a menos de cem metros dali. No limite da floresta, Malorie solta a mão das crianças por um instante para procurar a entrada.

— Segurem-se no meu casaco!

Ela tateia os galhos até encontrar uma blusa amarrada a uma árvore no começo da trilha. A própria Malorie a amarrou ali mais de três anos atrás.

O Garoto segura no bolso da mãe e ela sente a Menina agarrar o casaco dele. Ela os chama enquanto caminha, perguntando constantemente se estão segurando um no outro. Galhos de árvores arranham o rosto dela. Malorie não grita.

Logo os três chegam ao marco que ela enterrou na areia. A perna farpada de uma das cadeiras da cozinha, enfiada no meio da trilha para que ela tropece e a reconheça.

Ela descobriu o barco a remo quatro anos atrás, atracado a apenas cinco casas de distância da sua. Faz mais de um mês desde que conferiu pela última vez se ele ainda estava ali, mas ela acredita que esteja. Mesmo assim, é difícil não imaginar o pior. E se alguém o pegou primeiro? Outra mulher, não muito diferente da própria Malorie, que mora a cinco casas dali, na outra direção, e usou cada dia dos últimos quatro anos para reunir coragem suficiente para fugir. Uma mulher que um dia tropeçou na mesma margem escorregadia e sentiu a mesma possibilidade de salvação com a ponta de ferro do barco a remo.

O ar faz os arranhões no rosto de Malorie arderem. As crianças não reclamam.

Isso não é infância, pensa Malorie, conduzindo-as para o rio.

Então ela escuta. Antes de chegar ao cais, ouve o barco balançando na água. Ela para, confere a venda das crianças e aperta os nós das duas. Depois as conduz até a plataforma de madeira.

Pronto, pensa, *ele ainda está aqui*. Assim como os carros ainda estão estacionados na rua em frente à casa deles. E da mesma forma que as casas da rua continuam vazias.

Faz mais frio ali na floresta, longe de casa. O som da água é tão assustador quanto entusiasmante. Ajoelhando-se onde acha que o barco está, ela solta as mãos das crianças e tateia, procurando a ponta de ferro. Seus dedos encontram a corda que a segura primeiro.

— Garoto — diz Malorie, puxando a ponta gelada do barco para o cais. — Na frente. Entre na frente.

Ela o ajuda. Quando ele está equilibrado, segura o rosto do filho com ambas as mãos e diz mais uma vez:

— Escute. Para além da água. *Escute.*

Malorie pede à Menina que fique no cais enquanto desamarra a corda às cegas, sobe com cuidado no barco e para em frente ao banco do meio. Ainda mais ou menos de pé, ela ajuda a Menina a subir. O barco balança com violência e Malorie aperta a mão da filha com muita força. A Menina não grita.

Há folhas, gravetos e água no fundo do barco. Malorie vasculha para procurar os remos que guardou no lado direito. A madeira está fria. Úmida. Tem cheiro de mofo. Ela acomoda os remos nos apoios de ferro. Usa um deles para afastar o barco do cais e ele lhe parece firme e forte. E então...

Estão no rio.

A água está calma. Mas há sons ao redor. Movimentos na floresta.

Malorie pensa na neblina. Espera que tenha ocultado a fuga da família.

No entanto, a neblina vai se dissipar.

— Crianças — pede Malorie, ofegante —, *escutem.*

Enfim, depois de quatro anos de espera e treino, tentando encontrar coragem para ir embora, ela rema para longe do cais, da margem e da casa que protegeu a ela e aos seus filhos pelo que pareceu uma vida inteira.

dois

Ainda faltam nove meses para as crianças nascerem. Malorie mora com a irmã, Shannon, numa modesta casa alugada que nenhuma das duas decorou. Mudaram-se há três semanas, apesar da preocupação dos amigos. Malorie e Shannon são mulheres populares e inteligentes, mas, quando estão juntas, tendem a se tornar insuportáveis, como aconteceu logo no dia em que carregaram suas caixas para dentro da casa.

— Estava pensando que faz mais sentido eu ficar com o quarto maior — disse Shannon, parada na beira da escada, no segundo andar. — Já que tenho a maior cômoda.

— Ah, fala sério — respondeu Malorie, segurando uma caixa de leite cheia de livros não lidos. — A janela daquele quarto é melhor.

As irmãs discutiram sobre isso por muito tempo, ambas com medo de brigar e provar já na primeira tarde juntas que os amigos e a família tinham razão. Por fim, Malorie concordou em deixar um cara ou coroa decidir, o que terminou com a vitória de Shannon — resultado que Malorie ainda acredita ter sido forjado de algum jeito.

Nesse dia, no entanto, Malorie não está pensando nas pequenas coisas que a irmã faz que a enlouquecem. Não está limpando em silêncio a bagunça de Shannon, fechando as portas dos armários, seguindo as trilhas de suéteres e meias que ela deixa pelos corredores. Não está bufando, resignada, nem balançando a cabeça enquanto liga o lava-louça ou empurra uma das caixas nunca desfeitas de Shannon do meio da sala para fora do caminho das duas. Em vez disso, está em frente ao espelho do banheiro do primeiro andar, nua, analisando a própria barriga.

Já houve uma vez que a sua menstruação não veio, diz a si mesma. Mas aquilo não é um consolo porque Malorie está ansiosa há semanas, sabendo que deveria ter sido mais cuidadosa com Henry Martin.

O cabelo negro pende sobre os ombros. Os lábios se curvam para baixo formando uma careta curiosa. Ela põe as mãos na barriga reta e balança a cabeça lentamente. Não importa como justifique a situação, ela se *sente* grávida.

— Malorie! — grita Shannon da sala. — O que você está *fazendo* aí?

Ela não responde. Vira-se de lado e inclina a cabeça. Seus olhos azuis parecem cinzentos à luz pálida do banheiro. Apoia uma das mãos no linóleo rosado da pia e arqueia as costas. Está tentando fazer a barriga diminuir, como se isso pudesse provar que não há nenhuma vidinha dentro dela.

— Malorie! — grita Shannon de novo. — Está passando outra reportagem na TV! Aconteceu alguma coisa no Alasca.

Malorie ouve a irmã, mas o que está acontecendo no mundo exterior não tem muita importância para ela agora.

Nos últimos dias, a internet enlouqueceu com uma história que as pessoas estão chamando de "Relatório Rússia". Nela, um homem que viajava de carona num caminhão por uma estrada nos arredores de São Petersburgo pediu ao amigo, o motorista, que parasse o carro, então atacou-o e arrancou os lábios do colega com as unhas. Depois, tirou a própria vida na neve, usando a serra de mesa que estava na carroceria do caminhão. Uma história pavorosa, cuja notoriedade Malorie atribuía à maneira aparentemente ilógica da internet de tornar fatos aleatórios famosos. Mas então uma segunda história surgiu. Circunstâncias similares. Dessa vez em Yakutsk, a cerca de cinco mil quilômetros de São Petersburgo. Naquela cidade, uma mãe, "estável" segundo os conhecidos, enterrou os filhos vivos no jardim da família antes de se matar, usando as pontas afiadas de pratos quebrados. Até que uma terceira história, em Omsk, na Rússia, mais de três mil quilômetros a sudeste de São Petersburgo, surgiu na internet e rapidamente se tornou um dos assuntos mais discutidos em todas as redes sociais. Daquela vez, havia um vídeo. Pelo tempo que conseguiu, Malorie assistiu a um homem com a barba vermelha de sangue tentando atacar com um machado o cinegrafista que não podia ser visto. Por fim, ele conseguiu. Mas Malorie não viu essa parte. Evitou continuar acompanhando aquele assunto. No entanto, Shannon, sempre mais dramática, insistia em contar as notícias assustadoras.

— *No Alasca!* — repete Shannon pela porta do banheiro. — Isso fica nos *Estados Unidos*, Malorie!

O cabelo louro de Shannon denuncia as raízes finlandesas da mãe delas. Malorie se parece mais com o pai: olhos fortes e fundos e pele clara e lisa característica do Norte. Por terem crescido na Península Superior do Michigan, ambas sonhavam em morar no sul do estado, perto de Detroit, onde imaginavam que havia festas, shows, oportunidades de emprego e homens em abundância.

Este último item não havia se provado vantajoso para Malorie até ela conhecer Henry Martin.

— Ai, *merda* — berra Shannon. — Talvez tenha acontecido alguma coisa no Canadá também. Isso é sério, Malorie. O que você está *fazendo* aí?

Malorie liga a torneira e deixa a água fria correr por entre os dedos. Joga um pouco no rosto. Olhando para o espelho, ela pensa nos pais, ainda na Península Superior do Michigan. Os dois não sabem nada sobre Henry Martin. Nem *ela* falou com ele desde aquela única noite. Mesmo assim, aqui está ela, provavelmente ligada a ele para sempre.

De repente, a porta do banheiro se abre. Malorie pega uma toalha.

— Pelo amor de Deus, Shannon.

— Você me ouviu, Malorie? Essa história está sendo noticiada em tudo quanto é canto. As pessoas estão começando a dizer que está relacionado com o fato de as vítimas terem visto alguma coisa. Não é estranho? Acabei de ouvir na CNN que isso é a única coisa em comum em todos os incidentes. Que as vítimas *viram* alguma coisa antes de atacar as pessoas e de se matar. Dá para acreditar nisso? Dá?

Malorie se vira devagar para a irmã, com o rosto totalmente inexpressivo.

— Ei, você está bem, Malorie? Não parece muito bem.

Malorie começa a chorar. Morde o lábio inferior. Já pegou a toalha, mas ainda não se cobriu. Continua parada diante do espelho como se examinasse a barriga nua. Shannon percebe isso.

— Ai, merda — exclama ela. — Você acha que está...

Malorie já faz que sim com a cabeça. As duas se aproximam no banheiro cor-de-rosa e Shannon abraça a irmã, dando tapinhas leves na cabeça dela, acalmando-a.

— Ok — diz. — Não vamos surtar. Vamos comprar um teste. É isso que as pessoas fazem. Ok? Não se preocupe. Aposto que mais da metade das mulheres que faz testes descobre que não está grávida.

Malorie não responde. Apenas suspira profundamente.

— Ok — repete Shannon. — Vamos lá.

três

Quão longe uma pessoa consegue ouvir?

Remar vendada é ainda mais difícil do que Malorie havia imaginado. Já aconteceu de muitas vezes o barco bater nas margens e ficar preso por vários minutos. Durante esse tempo, ela foi tomada por imagens de mãos invisíveis tirando as vendas dos olhos das crianças. Dedos emergindo da água, surgindo da lama das margens. As crianças não berraram, não choramingaram. São pacientes demais para isso.

Mas quão *longe* uma pessoa consegue ouvir?

O Garoto ajudou a soltar o barco ao levantar-se e empurrar um tronco coberto de musgo. Então Malorie voltou a remar. Apesar desses primeiros obstáculos, ela sente que estão progredindo. É animador. Pássaros cantam nas árvores agora que o sol nasceu. Animais vagam entre a folhagem espessa da floresta que os cerca. Peixes pulam, espirrando água e deixando Malorie nervosa. Escutam tudo isso. Mas não veem nada.

Desde que nasceram, as crianças foram treinadas a ouvir os sons da floresta. Quando eram bebês, Malorie amarrava camisetas sobre os olhos delas e as levava até a beira da floresta. Ali, apesar de saber que eram pequenas demais para entender alguma coisa do que lhes dizia, ela descrevia os sons da mata.

Folhas ondulando, dizia. *Um animal pequeno, como um coelho.* Sempre consciente de que poderia ser algo muito pior. Pior até do que um urso. Naquela época, e nos dias que se seguiram, quando as crianças já tinham idade suficiente para aprender, Malorie treinava a si mesma enquanto treinava os filhos. Mas ela nunca escutaria tão bem quanto eles. Já tinha vinte e quatro anos quando conseguiu perceber, usando apenas a audição, a diferença entre uma gota de chuva e uma batida na janela. Malorie fora criada com foco na *visão*. Será que isso fazia dela a professora errada? Quando carregava folhas para dentro de casa e dizia às crianças, vendadas, para identificarem a diferença entre pisar em uma e amassar outra com uma das mãos, será que essas eram as lições certas a ensinar?

Quão longe uma pessoa consegue ouvir?

O Garoto gosta de peixes e ela sabe disso. Malorie muitas vezes pescava um no rio, usando uma vara enferrujada feita de um guarda-chuva encontrado na despensa. O Garoto gostava de observar os peixes se debatendo no balde na cozinha. Começara a desenhá-los também. Malorie se lembra de ter pensado que precisaria pegar todos os animais do planeta e levá-los para casa para que as crianças soubessem como eles eram. Do que mais gostariam se tivessem a chance de ver? O que a Menina acharia de uma raposa? De um guaxinim? Até mesmo os carros eram uma lenda para os dois, pois tinham apenas os desenhos amadores de Malorie como referência. Botas, arbustos, jardins, vitrines, prédios, ruas e estrelas. Ela precisaria ter recriado o mundo todo para eles. Mas só conseguiam peixes. E o Garoto os adorava.

Agora, no rio, ao ouvir outro pequeno salto na água, ela teme que a curiosidade o faça tirar a venda.

Quão longe uma pessoa consegue ouvir?

Malorie precisa que as crianças ouçam *para além* das árvores, *para além* do vento, *para além* das margens sujas que levam a todo um mundo de criaturas vivas. O rio é um anfiteatro, pensa Malorie enquanto rema.

Mas também é um túmulo.

As crianças *precisam* ouvir.

Malorie não consegue afastar a imagem de mãos emergindo da escuridão, agarrando a cabeça das crianças e deliberadamente desamarrando o que as protege.

Suando, ofegante, ela reza para que seja possível ouvir o caminho até um lugar seguro.

quatro

Malorie está dirigindo. As irmãs usam o carro dela, um Ford Festiva de 1999, porque tem mais gasolina no tanque. Estão a apenas cinco quilômetros de casa, mas já percebem sinais de que as coisas mudaram.

— Olhe! — exclama Shannon, apontando para várias casas. — Cobertores nas janelas.

Malorie está tentando prestar atenção ao que Shannon diz, mas seus pensamentos continuam voltando para a própria barriga. A explosão do Relatório Rússia na mídia a preocupa, mas ela não leva isso tão a sério quanto a irmã. Outras pessoas na internet estão, como Malorie, mais céticas. Ela leu blogs, especialmente o *Silly People*, que posta fotos de pessoas tomando certas precauções e depois acrescenta legendas engraçadas abaixo das imagens. Enquanto Shannon aponta alternadamente para uma janela e protege os olhos, Malorie pensa em uma das imagens: a de uma mulher pendurando um cobertor na janela. Embaixo dela, a legenda dizia: *Querido, o que você acha de trazer a cama para cá?*

— Dá para acreditar? — pergunta Shannon.

Malorie assente em silêncio. Ela se vira para a esquerda.

— Ah, fala sério — insiste Shannon. — Você tem que admitir que isso está ficando interessante.

Parte de Malorie concorda. É interessante *mesmo*. Na calçada, um casal passa com o jornal cobrindo o rosto até as têmporas. Alguns motoristas dirigem com os retrovisores virados para cima. Distante, Malorie se pergunta se aqueles são sinais de que a sociedade está começando a acreditar que há algo de errado. E se houver, *o que é*?

— Eu não entendo — afirma Malorie, em parte tentando se distrair dos próprios pensamentos, em parte começando a se interessar pelo assunto.

— Não entende o quê?

— Eles acham que não é seguro olhar para fora? Olhar para *qualquer lugar*?

— Isso — responde Shannon. — É exatamente o que acham. Era o que eu estava lhe dizendo.

Shannon, pensa Malorie, sempre foi dramática.

— Bem, isso me parece uma maluquice — diz Malorie. — E veja só aquele cara!

Shannon olha para onde Malorie está apontando. Então desvia o olhar. Um homem de terno anda com uma bengala de cego. Está com os olhos fechados.

— Ninguém mais tem vergonha de agir assim — explica Shannon, o olhar voltado para os próprios sapatos. — A bizarrice já chegou a esse nível.

Quando as duas estacionam na farmácia, Shannon ergue a mão para proteger os olhos. Malorie percebe isso e depois olha para o outro lado do estacionamento. Mais pessoas estão fazendo o mesmo.

— Você está com medo de ver o quê? — pergunta ela.

— Ninguém sabe essa resposta ainda.

Malorie já viu a enorme placa amarela da farmácia milhares de vezes. No entanto, nunca pareceu tão pouco acolhedora.

Vamos lá comprar seu primeiro teste de gravidez, pensa, saindo do carro. As irmãs atravessam o estacionamento.

— Ficam perto dos remédios, eu acho — sussurra Shannon, abrindo a porta da frente da loja, ainda com os olhos cobertos.

— Shannon, pare com isso.

Malorie guia o caminho até o setor de anticoncepcionais. Lá, encontra quase dez marcas de testes de gravidez.

— Tem tantos... — comenta Shannon, pegando um da prateleira. — Ninguém mais usa camisinha hoje em dia?

— Qual deles devo levar?

Shannon dá de ombros.

— Este aqui parece tão bom quanto os outros.

Um homem no fim do corredor abre uma caixa de curativos. Então põe um deles sobre o olho.

As irmãs levam o teste ao balcão. Andrew, que tem a idade de Shannon e uma vez a convidou para sair, está trabalhando no caixa. Malorie só quer que aquele momento chegue ao fim.

— Uau! — exclama Andrew, analisando a caixinha.

— Cale a boca, Andrew — diz Shannon. — É para a nossa cadela.

— Vocês têm uma cadela agora?

— Temos — responde Shannon, pegando a sacola com o teste. — E ela é muito popular na nossa vizinhança.

A volta para casa é uma tortura para Malorie. A sacola de plástico entre os bancos sugere que a vida dela já mudou.

— Olhe — diz Shannon, apontando pela janela do carro com a mesma mão que usa para tapar os olhos.

As irmãs se aproximam devagar de uma placa de “Pare”. Do lado de fora da casa de esquina, veem uma mulher numa pequena escada pregando um edredom à janela.

— Quando a gente chegar, vou fazer a mesma coisa — afirma a irmã de Malorie.

— Shannon.

A rua delas, normalmente repleta de crianças, está vazia. Não há triciclos azuis cheios de adesivos. Nem tacos de beisebol.

Já dentro de casa, Malorie vai para o banheiro e sua irmã imediatamente liga a TV.

— Acho que você só precisa fazer xixi nisso! — grita Shannon.

Do banheiro Malorie consegue ouvir o telejornal.

Quando a irmã chega à porta do banheiro, Malorie já está encarando a faixa cor-de-rosa, balançando a cabeça.

— Caramba! — exclama Shannon.

— Tenho que ligar para mamãe e papai — afirma Malorie.

Parte dela já começa a se preparar, pois sabe que, apesar de estar solteira, vai ter esse bebê.

— Você precisa ligar para Henry Martin — lembra Shannon.

Malorie observa a irmã por um momento. Ela passou o dia todo pensando que Henry Martin não teria um papel muito importante na criação daquela criança. De certa forma, já aceitou isso. Shannon acompanha a irmã até a sala, onde caixas ainda cheias de objetos entulham o espaço em frente à TV. Na tela, está passando um funeral. Os âncoras da CNN comentam. Shannon vai até a TV e baixa o volume. Malorie se senta no sofá e liga para Henry Martin do celular.

Ele não atende. Então ela manda uma mensagem de texto.

É importante. Me ligue quando puder.

De repente, Shannon dá um pulo do sofá e grita:

— Você *viu* aquilo, Malorie? Um caso no Michigan! Acho que disseram que foi na Península Superior!

Malorie já está pensando nos pais. Quando Shannon aumenta o volume de novo, as irmãs descobrem que um casal de idosos de Iron Mountain foi encontrado enforcado numa árvore no bosque próximo à casa onde moravam. O âncora diz que eles usaram os próprios cintos.

Malorie liga para a mãe. Ela atende depois de dois toques.

— Malorie.

— Mãe.

— Tenho certeza de que está ligando por causa dessas notícias.

— Não. Estou grávida, mãe.

— Ai, meu Deus do céu, Malorie.

A mãe fica quieta por um instante. Malorie consegue ouvir a TV ao fundo.

— Está namorando alguém?

— Não, foi um acidente.

Shannon está de pé em frente à TV. Com os olhos arregalados. Fica apontando para o aparelho, como se quisesse lembrar a Malorie como aquilo é importante. A mãe está em silêncio do outro lado da linha.

— Você está bem, mãe?

— Bem, agora estou mais preocupada com você, querida.

— É. Foi o pior momento possível.

— Já tem quantas semanas?

— Umas cinco, eu acho. Talvez seis.

— E vai ter o bebê? Já tomou essa decisão?

— Vou. Quer dizer, acabei de descobrir. Faz só alguns minutos. Mas vou. Sim.

— Já avisou ao pai?

— Escrevi para ele. Vou ligar também. — Malorie faz uma pausa. Então continua: — Vocês estão se sentindo seguros aí, mãe? Estão bem?

— Não sei, simplesmente não sei. Nenhum de nós sabe nada e estamos com muito medo. Mas agora estou mais preocupada com você.

Na tela, uma mulher, usando um diagrama, explica o que pode ter acontecido. Ela desenha uma linha que parte de uma pequena estrada onde o carro do casal foi encontrado abandonado. A mãe de Malorie está lhe dizendo que sabe de alguém que conhecia o casal idoso. O sobrenome deles era Mikkonen, afirma ela. A mulher na tela está parada sobre o que parece ser uma poça de sangue na grama.

— *Meu Deus!* — exclama Shannon.

— Ai, eu queria que seu pai estivesse em casa — diz a mãe. — E você está *grávida*. Ai, Malorie...

Shannon pega o telefone. Pergunta se a mãe sabe de mais algum detalhe sobre o caso. O que estão dizendo por lá? Foi o único incidente? As pessoas estão tomando precauções?

Enquanto Shannon continua falando desesperada ao telefone, Malorie se levanta do sofá, vai até a porta da frente e a abre. Analisando toda a rua, pensa: *Isso é sério mesmo?*

Não há vizinhos nos quintais. Nenhum rosto nas janelas das outras casas. Um carro passa e Malorie não consegue ver o rosto do motorista. Ele o esconde com uma das mãos.

Na grama, ao lado do caminho que leva à porta, está o jornal que foi entregue de manhã. Malorie vai até ele. A manchete da primeira página é sobre o número crescente de incidentes. Simplesmente diz: MAIS UM. Shannon já deve ter contado a ela tudo o que o jornal tem a dizer. Malorie o pega e, ao virá-lo, para em uma notícia na página de trás.

É um classificado. Uma casa em Riverbridge está abrindo as portas para desconhecidos. É um "local seguro", diz o anúncio. Um refúgio. Um lugar que os proprietários esperam que sirva como um "santuário", à medida que as notícias terríveis se multiplicam com o passar dos dias.

Malorie, sentindo os primeiros arrepios reais de medo, volta a olhar para a rua. Ela vê a porta da casa de um vizinho se abrir e se fechar depressa. Ainda segurando o jornal, olha por cima do ombro, para dentro de casa, onde a TV continua ligada no volume máximo. No fundo da sala, Shannon está prendendo um cobertor a uma das janelas.

— Venha logo — pede ela. — Entre aqui. E feche essa porta.

cinco

Faltam seis meses para as crianças nascerem. A barriga de Malorie já está aparecendo. Cobertores tapam todas as janelas da casa. A porta da frente nunca fica destrancada nem aberta. Relatos de acontecimentos inexplicáveis têm surgido com uma frequência alarmante. O que antes era manchete duas vezes por semana agora acontece todos os dias. Os porta-vozes do governo são entrevistados na TV. Com histórias vindas de todos os cantos, do Maine à Flórida, ambas as irmãs estão tomando precauções. Shannon, que acessa uma dezena de blogs diariamente, teme uma confusão de ideias, um pouco de tudo que lê. Malorie não sabe no que acreditar. Novas histórias aparecem na internet de hora em hora. É a única coisa sobre a qual as pessoas falam nas redes sociais e o único tema abordado nas páginas dos jornais. Sites recém-criados dedicam-se inteiramente a acompanhar o assunto. Um deles exibe apenas um mapa-múndi com pequenos rostos vermelhos sobre as cidades onde algo aconteceu. Da última vez que Malorie conferiu havia mais de trezentos rostos. Na internet, a situação está sendo chamada de "o Problema". Existe uma teoria bem disseminada segundo a qual, seja lá qual for "o Problema", ele sem dúvida começa quando uma pessoa *vê alguma coisa.*

Malorie se recusou a acreditar enquanto pôde. As irmãs brigavam constantemente, com Malorie citando as páginas que ridicularizavam a histeria em massa e Shannon citando todo o resto. No entanto, Malorie teve que ceder quando os sites que acessava começaram a publicar histórias sobre os entes queridos dos autores dos blogs e eles passaram a admitir que estavam preocupados.

Dúvidas, pensou ela na época. *Até entre os céticos.*

Durante alguns dias, Malorie vivia uma espécie de vida dupla. Nenhuma das irmãs saía mais de casa. As duas mantinham as janelas cobertas. Assistiam à CNN, à MSNBC e à Fox News até não conseguirem mais ver as mesmas histórias sendo repetidas. Só que enquanto Shannon ficava mais séria, e até mais sombria, Malorie se agarrava a um fio de esperança de que tudo aquilo simplesmente acabaria.

Mas não acabou. E ficou pior.

Depois de três meses vivendo como ermitãs, o pior medo de Malorie e Shannon se concretizou quando seus pais pararam de atender ao telefone. E também deixaram de responder aos e-mails.

Malorie queria ir de carro até a Península Superior. Mas Shannon recusou a ideia.

— Só podemos torcer para que estejam seguros, Malorie. Vamos ter que torcer para que o telefone tenha sido cortado. Dirigir para qualquer lugar agora seria burrice. Ir até o mercado já seria. Dirigir nove horas, então, seria suicídio.

"O Problema" sempre resultava em um suicídio. A Fox News havia mencionado essa expressão com tanta frequência que passou a usar sinônimos. "Autodestruição." "Autoimolação." "Haraquiri." Um âncora descreveu a situação como um "apagamento pessoal", expressão que não pegou. Instruções do governo eram constantemente exibidas. Um toque de recolher nacional foi decretado. As pessoas foram aconselhadas a trancar as portas, tapar as janelas e, acima de tudo, a não olhar para fora. No rádio, as músicas foram totalmente substituídas por debates.

É um blecaute, pensa Malorie. *O mundo, o exterior, está sendo desligado.*

Ninguém tem respostas. Ninguém sabe o que está acontecendo. As pessoas estão vendo alguma coisa que as leva a machucar os outros. A machucar a si mesmas.

As pessoas estão morrendo.

Mas por quê?

Malorie tenta se acalmar pensando na criança que está crescendo dentro dela. Parece estar sofrendo de todos os sintomas mencionados no livro sobre bebês, *Grávida*. Sangramento leve. Seios sensíveis. Cansaço. Shannon critica as mudanças de humor de Malorie, mas são os desejos que a estão enlouquecendo. Receosas demais para irem ao mercado, as irmãs têm que se contentar com os alimentos que estocaram pouco depois de comprarem o teste de gravidez. Mas o gosto de Malorie mudou. Alimentos comuns lhe dão nojo. Por isso ela mistura coisas. Brownies de laranja. Frango ao molho *cocktail*. Torradas com peixe cru. Ela sonha com sorvete. Muitas vezes, ao olhar para a porta da frente, pensa em como seria fácil entrar no carro e dirigir até o mercado. Sabe que levaria apenas quinze minutos. No entanto, toda vez que está prestes a fazer isso, a TV anuncia outra história devastadora. Além do mais, como saber se os funcionários do mercado ainda estão indo trabalhar?

— O que você acha que as pessoas estão vendo? — pergunta Malorie a Shannon.

— Não sei, Mal. Realmente não sei.

As irmãs fazem essa pergunta uma para a outra o tempo todo. É impossível contar o número de teorias que surgiram na internet. Todas deixam Malorie apavorada. Doenças mentais causadas pelas ondas de rádio dos aparelhos sem fio é uma delas. Um salto evolutivo errôneo da humanidade é outra. Os integrantes do movimento Nova Era dizem que a humanidade está tendo contato com um planeta prestes a explodir ou com um sol que está morrendo.

Alguns acreditam que existem criaturas por aí.

O governo não diz nada a não ser: "Tranquem as portas."

Malorie, sozinha, está sentada no sofá, acariciando a barriga lentamente, enquanto assiste à TV. Está preocupada porque não há nada de positivo para assistir, e o bebê pode sentir sua ansiedade. *Grávida* lhe disse que isso poderia acontecer. O bebê sente as emoções da mãe. Mesmo assim, ela não consegue tirar os olhos da tela. Numa mesa encostada na parede atrás do sofá, o computador está ligado. O rádio toca baixinho. Juntos, os aparelhos fazem Malorie se sentir como se estivesse num centro de operações de guerra. No meio de tudo, enquanto o mundo desmorona. É sufocante. E está ficando aterrorizante. Não há mais comerciais. E os âncoras fazem interrupções longas nos noticiários, sem vergonha de revelar a própria surpresa ao receberem atualizações ao vivo.

Acima desse zumbido midiático, Malorie ouve Shannon andando no segundo andar.

Então, enquanto Gabriel Townes, um dos principais âncoras da CNN, lê um papel que acabou de ser entregue a ele, Malorie ouve um barulho no andar de cima. Ela fica imóvel.

— Shannon! — grita. — Você está bem?

Gabriel Townes não parece bem. Ele tem aparecido muito na TV nos últimos tempos. A CNN avisou que muitos de seus repórteres pararam de ir ao estúdio. Townes tem dormido lá. "Vamos superar isso juntos" é seu novo slogan. O cabelo do âncora não está mais perfeito. Ele usa pouca maquiagem. Mais preocupante é a maneira exausta como narra as notícias. Townes parece deprimido.

— Shannon. Venha aqui. Parece que Townes recebeu uma notícia.

Mas não há resposta. Apenas silêncio no andar de cima. Malorie se levanta e baixa o som da TV.

— Shannon!

Baixinho, Gabriel Townes anuncia uma decapitação em Toledo. Fica a menos de cento e trinta quilômetros de onde Malorie está assistindo à TV.

— Shannon! O que você está fazendo aí em cima?

Nenhuma resposta. Townes fala baixinho na TV. Não há gráficos acompanhando a notícia. Nem música. Ou qualquer imagem.

Malorie, parada no meio da sala, olha para o teto. Ela baixa ainda mais o volume da TV, então desliga o rádio e vai até a escada.

Ao lado do corrimão, olha lentamente para cima, para o chão acarpetado. As luzes estão apagadas, mas um raio fino do que parece ser a luz do sol se espalha pela parede. Apoiando a mão no corrimão, Malorie pisa no carpete. Olha por cima do ombro, para a porta da frente, e imagina uma mistura de todas as notícias que ouviu.

Ela sobe a escada.

— Shannon.

Malorie chega ao segundo andar. Tremendo. Ao atravessar o corredor, vê a luz do sol vindo do quarto de Shannon. Devagar, alcança a porta aberta e olha para dentro.

A quina da janela está exposta. Uma parte do cobertor, solta, está pendurada.

Malorie desvia o olhar rapidamente. Não há movimento no quarto, e um zumbido fraco vem da TV ligada no andar de baixo.

— *Shannon.*

No fim do corredor, a porta do banheiro está aberta. A luz, acesa. Malorie vai até lá. Então prende a respiração e se vira para olhar.

Shannon está no chão, o rosto virado para o teto. Há uma tesoura enfiada em seu peito. Sangue a circunda, formando uma poça nos ladrilhos do chão. Parece haver mais sangue do que o corpo dela poderia conter.

Malorie grita, agarrando o batente, e escorrega no chão, chorando desesperadamente. A luz severa do banheiro expõe cada detalhe. A fixidez dos olhos da irmã. A maneira como a camisa de Shannon afunda em seu peito com as lâminas da tesoura.

Malorie se arrasta até a banheira e vomita. O sangue da irmã gruda em seu corpo. Ela tenta acordá-la, mas sabe que isso não vai funcionar. Malorie se levanta, falando com Shannon, dizendo que vai procurar ajuda. Limpando o sangue das mãos, corre para o primeiro andar e encontra seu celular no sofá. Liga para a polícia. Ninguém atende. Liga de novo. Ninguém atende. Então liga para os pais. Mais uma vez, ninguém atende. Ela se vira e corre para a porta da frente. Precisa conseguir ajuda. A mão agarra a maçaneta, mas Malorie percebe que não consegue girá-la.

Meu Deus, pensa. *Shannon nunca faria isso por vontade própria. Meu Deus, é verdade! Tem alguma coisa lá fora.*

E, o que quer que Shannon tenha visto, deve estar perto da casa.

Um pedaço de madeira é tudo que separa Malorie daquilo que matou sua irmã. Do que sua irmã *viu*.

Para além da floresta, ela ouve o vento. Não há outros sons. Nenhum carro. Nenhum vizinho. Apenas silêncio.

Ela está sozinha. Então, desesperada, percebe que precisa de alguém. Precisa ter segurança. Tem que achar um jeito de sair daquela casa.

Com a imagem de Shannon vívida na cabeça, Malorie corre para a cozinha. Puxa uma pilha de jornais de sob a pia. Folheia-os que nem uma maníaca. Ofegante, com os olhos arregalados, confere o verso de cada um.

Por fim, encontra.

O anúncio. Riverbridge. Estranhos convidando estranhos para sua casa. Malorie o lê mais uma vez. Então lê de novo. Cai de joelhos, agarrando o jornal.

Riverbridge fica a vinte minutos dali. Shannon viu alguma coisa lá fora e aquilo a matou. Malorie precisa levar o filho a um lugar seguro.

De repente, sua respiração ofegante se transforma em um fluxo interminável de lágrimas. Malorie não sabe o que fazer. Nunca sentiu tanto medo. Tudo dentro dela parece quente, como se estivesse pegando fogo.

Chora compulsivamente. Através dos olhos molhados, lê o anúncio mais uma vez.

E suas lágrimas caem no papel.

seis

— O que foi, Garoto?

— Você ouviu isso?

— O quê? O que você ouviu? *Diga!*

— Escute.

Malorie obedece. Para de remar e escuta. Ela ouve o vento. O rio. O distante grasnido agudo de pássaros e o movimento ocasional de pequenos animais nas árvores. Ouve também sua respiração e seu coração disparado. E, além de todo esse barulho, de algum lugar *dentro* dele, há um som que ela passa imediatamente a temer.

Alguma coisa está na água com eles.

— Não falem! — sibila Malorie.

As crianças ficam em silêncio. Ela apoia os remos nas pernas dobradas e fica imóvel.

Há algo grande à frente do barco, no rio. Algo que sobe e espirra água.

Apesar de todo o esforço que fez para proteger as crianças da loucura, Malorie se pergunta se os preparou o bastante para as antigas realidades.

Como os animais selvagens que reivindicariam espaço no rio que o ser humano não usa mais.

O barco a remo vira para a esquerda de Malorie. Ela sente o calor de algo tocando a borda de ferro, onde a ponta do remo está apoiada.

Os pássaros nas árvores ficam em silêncio.

Ela prende a respiração, pensando nas crianças.

O que está encostando na ponta do barco?

É uma criatura?, pensa ela, histérica. *Por favor, não, Deus, que seja um animal. Por favor!*

Malorie sabe que, mesmo que as crianças tirassem as vendas, mesmo que gritassem até enlouquecer, ainda assim ela não abriria os olhos.

Sem que ela reme, o barco se move de novo. Ela segura um dos remos e se prepara para usá-lo como arma.

Então ouve o barulho de algo entrando na água. A coisa se move. Parece estar mais longe. Malorie está tão ofegante que chega a engasgar.

Ouve um ruído entre os galhos da margem à sua esquerda e imagina que a coisa tenha se arrastado até a costa.

Ou talvez tenha andado.

Será que uma criatura está parada ali? Analisando os galhos das árvores e a lama a seus pés?

Pensamentos como esse a fazem se lembrar de Tom. Do doce Tom, que passava todas as horas de todos os dias tentando encontrar uma maneira de sobreviver nesse terrível mundo novo. Malorie queria que ele estivesse ali. Ele saberia o que fez aquele som.

É um urso-negro, diz a si mesma.

O canto dos pássaros recomeça. A vida nas árvores continua.

— Você foi muito bem — gagueja Malorie, com a voz tomada pelo nervosismo.

Volta a remar e logo o som da Menina mexendo nas peças do quebra-cabeça se junta ao barulho dos remos na água.

Ela imagina as crianças, cegas pelo tecido negro das vendas, incomodadas com a visibilidade provocada pelo sol, descendo o rio. Sua própria venda úmida aperta a cabeça. Irrita a pele próxima às orelhas. Às vezes, ela consegue ignorar isso. Outras, só consegue pensar em coçar. Apesar do frio, molha repetidamente os dedos no rio e umedece o tecido que cobre a região irritada. Bem acima das orelhas. A ponte do nariz. A parte de trás da cabeça, onde está o nó. Molhar o tecido ajuda, mas Malorie nunca vai se acostumar totalmente com a sensação do pano em seu rosto. Até seus olhos, pensa ela enquanto rema, até seus *cílios* se cansam do contato com a venda.

Um urso-negro, diz a si mesma de novo.

Mas não tem tanta certeza.

Questões assim regeram todos os movimentos de Malorie nos últimos quatro anos e meio. Desde o momento em que decidiu responder ao anúncio no jornal e foi para a casa em Riverbridge. Cada barulho que ouviu desde então criou imagens de coisas muito piores do que qualquer animal terrestre.

— Vocês fizeram um bom trabalho — diz para as crianças, tremendo. A intenção é acalmá-las, mas sua voz denuncia o medo.

sete

Riverbridge.

Malorie já esteve nessa área, muitos anos antes. Numa festa de ano-novo. Ela mal se lembra do nome da moça que deu a festa. Marcy alguma coisa. Maribel, talvez. Shannon a conhecia e foi quem dirigiu naquela noite. As estradas estavam lamacentas de neve. Montes cinzentos de neve suja emolduravam as ruas. As pessoas usavam o gelo dos telhados para fazer drinques. Alguém ficou seminu e escreveu 2009 na neve. Agora está no auge do verão, e é Malorie quem dirige. Com medo, sozinha e de luto.

A viagem até a casa é angustiante. Dirigindo a menos de trinta quilômetros por hora, Malorie procura freneticamente placas e outros carros. Fecha os olhos e depois os abre de novo, sem parar de dirigir.

As ruas estão vazias. Toda casa pela qual passa tem cobertores ou tábuas de madeira tapando as janelas. Vitrines estão vazias. Estacionamentos de shoppings, desertos. Ela mantém os olhos no asfalto imediatamente à sua frente e dirige, seguindo o caminho marcado no mapa a seu lado. Suas mãos parecem fracas ao volante. Seus olhos doem de tanto chorar. Ela sente um fluxo interminável de culpa por ter deixado a irmã, morta, no chão do banheiro de casa.

Malorie não a enterrou. Apenas foi embora.

Nos hospitais, não atenderam ao telefone. Nem nas funerárias. Malorie cobriu parte do corpo da irmã com um cachecol azul e amarelo que Shannon adorava.

O rádio entra e sai de sintonia. Um homem fala sobre a possibilidade de uma guerra. Se a humanidade se unir, diz ele, mas a estática se sobrepõe à sua voz. Ela passa por um carro abandonado no acostamento. As portas estão abertas. Uma jaqueta pende do banco do carona e toca no chão. Malorie olha para a frente de novo, depressa. Depois fecha os olhos. Em seguida, os abre.

O rádio está funcionando. O homem continua falando sobre guerra. Algo se move para a direita e ela vê de relance. Não olha. Fecha o olho direito. Mais à frente, no meio da estrada, um pássaro pousa e voa outra vez. Quando chega até ali, Malorie percebe que a ave estava interessada num cão morto. Ela passa por cima do animal. O carro sacode. Ela bate a cabeça no teto, a mala balançando no banco de trás. Está tremendo. O cachorro não parecia apenas morto, mas também retorcido. Ela fecha os olhos. Depois os abre.

Um pássaro, talvez o mesmo, grasna no céu. Malorie passa pela rua Roundtree. Rua Ballam. Horton. Sabe que está perto. Algo dispara à esquerda. Ela fecha o olho esquerdo. Passa por um caminhão dos correios vazio. As cartas estão espalhadas pelo concreto. Um pássaro voa baixo demais e quase bate no para-brisa. Ela grita, fecha os olhos e os abre. E, nesse momento, vê a placa que está procurando.

Shillingham.

Malorie vira à direita, freando enquanto faz a curva para entrar na rua Shillingham. Não precisa conferir o mapa para saber que o número é 273. Ele esteve em sua mente durante toda a viagem.

Além de alguns carros estacionados em frente a uma casa à direita, a rua está vazia. A vizinhança parece comum, típica de um bairro residencial. A maioria das casas é igual. A grama está alta em todos os jardins. Todas as janelas estão cobertas. Ansiosa, Malorie olha para a casa onde os carros estão estacionados e sabe que é a que está procurando.

Ela fecha os olhos e pisa no freio.

Está parada e ofegante. A imagem desbotada da casa permanece em sua mente.

A garagem fica à direita. O portão, bege, está fechado. Um telhado amarronzado se apoia sobre tábuas e tijolos brancos. A porta da frente é de um marrom mais escuro. As janelas estão tapadas. Há um sótão.

Tomando coragem, com os olhos ainda fechados, Malorie se vira e pega a alça da mala. A casa deve estar a cerca de quinze metros de onde parou. Ela sabe que não está perto do meio-fio. Mas não se importa. Para tentar se acalmar, respira fundo, devagar. A mala está a seu lado no banco do carona. De olhos fechados, ela escuta. Como não ouve nada do lado de fora, abre a porta do motorista e sai, pegando suas coisas.

O bebê chuta.

Malorie leva um susto e se atrapalha com a bagagem. Quase abre os olhos para espiar a barriga. Em vez disso, a acaricia.

— Chegamos — sussurra.

Ela pega a mala e, sem enxergar, caminha com cuidado até o jardim em frente à casa. Quando sente a grama sob os pés, anda mais rápido, deparando-se com um pequeno arbusto. Os espinhos das flores arranham seus pulsos e seu quadril. Malorie dá um passo para trás e sente o concreto sob os sapatos. Anda com cuidado até onde acha que a porta da frente fica.

Ela está certa. Fazendo barulho ao apoiar a mala na varanda, tateia os tijolos e encontra uma campainha. Toca.

De início, ninguém atende. Ela é tomada por uma sensação desanimadora de que aquilo é seu fim. Será que dirigiu até ali, enfrentou o mundo, por nada? Toca a campainha de novo. E de novo. Mais uma vez. Ninguém responde. Bate na porta, desesperada.

Ninguém responde.

Então... Malorie ouve vozes abafadas dentro da casa.

Ai, meu Deus! Tem alguém aqui! Tem alguém em casa!

— Oi — diz, baixinho, assustando-se com o som da própria voz na rua vazia. — Olá! Eu vi o anúncio de vocês no jornal!

Silêncio. Malorie espera, ouvindo com atenção. Então alguém grita para ela.

— Quem é você? — pergunta um homem. — De onde veio?

Malorie sente alívio e esperança. Tem vontade de chorar.

— Meu nome é Malorie! Vim de Westcourt!

Há uma pausa. Então:

— Seus olhos estão fechados? — indaga a voz de outro homem.

— Estão! Meus olhos estão fechados.

— Estão fechados há muito tempo?

Só me deixem entrar!, pensa ela. ME DEIXEM ENTRAR!

— Não — responde Malorie. — Ou estão. Vim dirigindo de Westcourt. Mantive os olhos fechados pelo máximo de tempo que consegui.

Ela ouve vozes baixas. Algumas estão irritadas. As pessoas estão discutindo se devem deixá-la entrar ou não.

— Eu não vi nada! — grita Malorie. — Juro. Estou bem. Meus olhos estão fechados. Por favor. Eu vi o anúncio no jornal.

— Continue de olhos fechados — diz um homem, por fim. — Vamos abrir a porta. Quando fizermos isso, entre o mais rápido que puder. Está bem?

— Está bem. Sim. Está bem.

Ela aguarda. O ar está parado, calmo. Nada acontece. Então ela ouve o clique da porta e entra rapidamente. Mãos a puxam para dentro. A porta bate atrás dela.

— Agora espere — pede uma mulher. — Precisamos tatear tudo para garantir que você entrou sozinha.

Malorie fica ali de pé, com os olhos fechados, e escuta. Parece que estão batendo nas paredes com cabos de vassoura. Várias mãos tocam seus ombros, seu pescoço, suas pernas. Alguém está atrás dela agora. Ela ouve dedos sobre a porta fechada.

— Muito bem — afirma um homem. — Estamos seguros.

Quando abre os olhos, Malorie vê cinco pessoas paradas diante dela. Lado a lado, enchem o hall. Ela os encara. E a encaram de volta. Um homem está usando uma espécie de capacete. Os braços dele estão cobertos com o que parecem ser bolas de algodão e fita adesiva. Canetas, lápis e outros objetos afiados se projetam da fita como se aquela fosse uma versão infantil de uma armadura medieval. Dois outros seguram vassouras.

— Olá — diz o homem da armadura. — Meu nome é Tom. Você, é claro, entende por que atendemos a porta desse jeito. Alguma coisa poderia entrar com você.

Apesar do capacete, Malorie vê que Tom tem cabelo castanho-claro. Feições marcadas. Seus olhos azuis brilham com inteligência. Não é muito mais alto do que ela. A barba por fazer é quase ruiva.

— Eu entendo — afirma Malorie.

— Westcourt — repete Tom, aproximando-se dela. — É uma viagem e tanto. Foi muito corajoso da sua parte. Por que não se senta para conversarmos sobre o que você viu no caminho?

Malorie faz que sim com a cabeça, mas não se mexe. Está agarrando a mala com tanta força que as juntas dos dedos estão brancas e doloridas. Um homem maior e mais alto se aproxima dela.

— Pronto — diz. — Pode deixar que eu seguro isso.

— Obrigada.

— Meu nome é Jules. Estou aqui há dois meses. Como a maioria de nós. Tom e Don chegaram um pouco antes.

O cabelo escuro e curto de Jules tem aspecto sujo. Como se o homem tivesse trabalhado ao ar livre. Ele parece ser gentil.

Malorie olha para os rostos dos novos companheiros de casa. Há uma mulher e quatro homens.

— Eu sou Don.

Ele também tem cabelo escuro. Um pouco mais comprido. Usa uma calça preta e uma camisa roxa de botão cujas mangas estão dobradas até os cotovelos. Parece mais velho que Malorie, vinte e sete, vinte e oito anos.

— Você assustou muito a gente. Ninguém bate nessa porta há semanas.

— Desculpem.

— Não se preocupe — diz o quarto homem. — Todos nós fizemos a mesma coisa que você. Eu sou Felix.

Felix parece cansado. Malorie acha que ele é jovem. Vinte e um, vinte e dois anos. O nariz comprido e o cabelo castanho armado lhe dão um aspecto caricato. Ele é alto, como Jules, embora seja mais magro.

— E meu nome é Cheryl — apresenta-se a mulher, estendendo a mão.

Malorie a cumprimenta.

A expressão de Cheryl é menos acolhedora do que a de Tom e Felix. O cabelo castanho cobre parte do rosto dela. Está usando uma regata. Também parece ter trabalhado pesado.

— Jules, você me ajuda a tirar essas coisas? — pede Tom.

Ele está tentando tirar o capacete, mas a armadura falsa atrapalha. Jules o ajuda.

Sem o capacete, Malorie consegue vê-lo melhor. O cabelo castanho--claro e bagunçado contrasta com a barba. Leves sardas colorem seu rosto. A barba é bem rala, mas o bigode é mais denso. A camisa de botão xadrez e a calça marrom a fazem lembrar de um professor que ela teve na escola.

Observando-o pela primeira vez, Malorie mal percebe que Tom está olhando para a barriga dela.

— Não quero ser rude, mas você está grávida?

— Estou — responde Malorie, baixinho, com medo de isso ser um problema.

— Ai, porra — exclama Cheryl. — Você *só* pode estar brincando.

— Cheryl — diz Tom. — Você vai assustar a moça.

— Olhe, Malorie, não é? — fala Cheryl. — Não quero parecer má ao dizer isso, mas ter uma grávida dentro desta casa é uma responsabilidade enorme.

Malorie fica em silêncio. Encara cada rosto, observando as expressões de todos. Parecem que a estão estudando. Decidindo se são capazes de abrigar alguém que um dia dará à luz. De repente, Malorie percebe que não pensou nisso antes. Durante a viagem, ela não considerou que seria aqui que o bebê nasceria.

As lágrimas estão surgindo.

Cheryl balança a cabeça e, cedendo, aproxima-se dela.

— Meu Deus... Venha aqui.

— Eu não estava sozinha — explica Malorie. — Minha irmã, Shannon, estava comigo. Só que ela morreu. Eu a deixei lá.

Malorie está chorando. Através da visão embaçada, percebe que os quatro homens a observam. Parecem sentir pena. No mesmo instante, ela entende que todos estão de luto, às suas maneiras.

— Venha — chama Tom. — Vamos mostrar a casa para você. Pode usar o quarto próximo à escada do segundo andar. Vou dormir aqui embaixo.

— Não — retruca Malorie. — Não posso ficar com o quarto de nenhum de vocês.

— Eu insisto — afirma Tom. — Cheryl dorme no final do corredor do segundo andar. Felix está no quarto ao lado do que você vai ficar. Afinal, você está grávida. Vamos ajudá-la da melhor maneira possível.

Eles caminham por um corredor. Passam por um quarto à esquerda. Depois por um banheiro. Malorie vê o próprio reflexo no espelho e desvia depressa o olhar. À esquerda, vê uma cozinha. No balcão há baldes grandes.

— Esta — diz Tom — é a sala de estar. A gente fica muito aqui.

Malorie se vira para ver a mão do homem apontar para um cômodo maior. Há um sofá. Uma mesa de canto com um telefone. Abajures. Uma poltrona. Um tapete. Um calendário foi desenhado na parede, entre os quadros, com algo que parece hidrocor. As janelas foram tapadas com cobertores pretos.

Malorie ergue o olhar quando um cão entra na sala de repente. É um *border collie*. O cachorro olha para a moça com curiosidade antes de se aproximar dos pés dela e esperar que o acaricie.

— Este é Victor — diz Jules. — Ele tem seis anos. Eu o peguei quando era filhote.

Malorie faz carinho no cachorro. Acha que Shannon teria gostado dele. Então Jules sai da sala, carregando a mala de Malorie por uma escada acarpetada. Na parede, há quadros pendurados. Alguns são fotos, outros, pinturas. No topo da escada, ela vê Jules entrar num quarto. Mesmo do primeiro andar, percebe que um cobertor cobre a janela do cômodo.

Cheryl a leva até o sofá. Malorie se senta ali, exausta por causa da tristeza e do choque. Cheryl e Don dizem que vão preparar um pouco de comida.

— São produtos enlatados — explica Felix. — Fomos comprar no dia em que cheguei. Pouco antes do primeiro incidente na Península Superior. O homem do mercado achou que estivéssemos malucos. Ainda temos o bastante para mais uns três meses.

— Um pouco menos agora — diz Don, entrando na cozinha.

Malorie se pergunta se ele estava insinuando que, com a chegada dela, há mais bocas para alimentar.

Então Tom senta-se ao lado da recém-chegada no sofá e pergunta o que ela viu na viagem até ali. Está curioso sobre tudo. Tom é do tipo que usaria qualquer informação que ela lhe desse, mas Malorie sente que os detalhes insignificantes de que se lembra não podem ajudar em nada. Conta a ele sobre o cachorro morto. Sobre o caminhão dos correios. As vitrines e as ruas vazias e o carro abandonado com a jaqueta.

— Tenho que explicar algumas coisas a você — começa Tom. — Em primeiro lugar, esta casa não pertence a nenhum de nós. O proprietário morreu. Conto essa história para você depois. Não temos internet. Não funciona desde que chegamos aqui. Temos quase certeza de que as pessoas que controlam as torres de transmissão pararam de trabalhar. Ou estão mortas. Não recebemos mais cartas nem jornais. Você conferiu seu celular nos últimos dias? Os nossos pifaram umas três semanas atrás. Mas temos um telefone fixo funcionando, o que é uma tremenda sorte. Só não sei para quem poderíamos ligar.

Cheryl entra na sala trazendo um prato com cenouras e ervilhas. E um pequeno copo de água também.

— O telefone fixo ainda funciona — explica Tom — pela mesma razão que as luzes ainda acendem. A usina local de energia é hidroelétrica. Não posso lhe afirmar se ela também vai parar de funcionar um dia, mas, se os homens que trabalham lá tiverem deixado as comportas abertas da maneira certa, a energia pode durar por um bom tempo. Isso significa que o rio é a fonte de eletricidade desta casa. Você sabia que tem um rio passando aqui atrás? Caso não haja um desastre, enquanto ele fluir, talvez tenhamos sorte. E chances de sobreviver. Será que isso é pedir demais? Provavelmente. Mas, quando você for até o poço pegar um pouco de água, e essa é a água que usamos para tudo, vai poder ouvir o rio fluindo a uns setenta metros da casa. Não temos água encanada. Ela parou de circular logo depois que cheguei. Para ir ao banheiro, usamos baldes e nos revezamos para levar os que estão cheios até as latrinas. São umas valas que cavamos na floresta. É claro que tudo isso tem que ser feito usando uma venda.

Jules desce para o primeiro andar. Victor, o cachorro, o segue.

— Já está tudo pronto — diz, acenando para Malorie.

— Obrigada — responde ela, baixinho.

Tom aponta para uma caixa de papelão em uma pequena mesa encostada na parede.

— As vendas ficam ali. Pode usar qualquer uma, sempre que quiser.

Todos olham para ela. Cheryl está sentada no braço da poltrona. Don, parado na porta da cozinha. Jules se ajoelha ao lado de Victor ao pé da escada. Felix está de pé ao lado de uma das janelas cobertas.

Todos sofreram, pensa Malorie. *Estas pessoas passaram por coisas horríveis, assim como eu.*

Enquanto bebe do copo que Cheryl lhe entregou, Malorie se vira para Tom. Não consegue tirar Shannon da cabeça. Ainda assim, se esforça e conversa com Tom, mesmo cansada:

— O que era aquilo que você estava usando quando cheguei?

— A armadura?

— É.

— Ainda não tenho certeza — responde Tom, sorrindo. — Estou tentando construir uma armadura. Alguma coisa que proteja mais do que só os nossos olhos. Ninguém sabe o que vai acontecer se uma dessas coisas encostar na gente.

Malorie olha para os outros moradores da casa. E depois se volta para Tom.

— Vocês acreditam que existem criaturas por aí?

— Acreditamos — diz Tom. — George, o dono dessa casa, viu uma. Pouco antes de morrer.

Malorie não sabe o que dizer. Ela instintivamente põe a mão na barriga.

— Não estou tentando assustar você — afirma ele. — E em breve vou lhe contar a história de George. Mas o rádio está dizendo a mesma coisa. Acho que agora é consenso. Alguma coisa *viva* está fazendo isso com a gente. E basta vê-la por um segundo, talvez menos que isso.

Para Malorie, tudo no cômodo parece escurecer. Ela se sente zonza, atordoada.

— Seja lá o que for — continua Tom —, nossas mentes não conseguem entender. Pelo que parece, as criaturas são como o infinito. Algo complexo demais para nossa cabeça. Sabe?

Malorie sente que as palavras de Tom estão, de alguma forma, sumindo. Victor arqueja aos pés de Jules. Cheryl pergunta se ela está bem. Tom ainda está falando.

Criaturas... Infinito... Nossas mentes têm limites, Malorie... Essas coisas... Estão além deles... Mais profundas do que eles... Fora de alcance... Fora de...

Nesse ponto, Malorie desmaia.

oito

Malorie acorda no quarto novo. Está escuro. Por um último momento abençoado, ela acorda com a sensação de que todas as notícias sobre criaturas e loucura foram apenas um pesadelo. Zonza, lembra-se de Riverbridge, de Tom, de Victor, da viagem, mas nada disso está claro até ela perceber, ao encarar o teto, que nunca havia acordado naquele quarto.

E Shannon continua morta.

Sentando-se devagar na cama, ela olha para a única janela do quarto. Um cobertor preto está pregado à parede, mantendo-a a salvo do mundo exterior. À frente dos seus pés há uma velha penteadeira. A cor rosada da madeira está desbotada, mas o espelho parece limpo. No reflexo, Malorie está mais pálida do que o normal. Por isso, seu cabelo preto parece ainda mais escuro. Na base do espelho há mais pregos, parafusos, um martelo e uma chave inglesa. Com exceção da cama, a penteadeira é o único móvel do quarto.

Ao levantar-se, Malorie passa os pés pela beira do colchão e vê, no carpete cinza, outro cobertor preto, dobrado com esmero. Este sobrou, pensa. Ao lado dele, há uma pequena pilha de livros.

Ela olha para a porta do quarto e ouve vozes vindo do primeiro andar. Ainda não conhece aquelas pessoas e não sabe dizer quem está falando, a não ser que seja Cheryl, a única mulher, ou Tom, cuja voz a guiará durante anos.

Quando fica de pé, o carpete parece áspero e velho sob seus pés. Ela atravessa o quarto e espia o corredor. Sente-se bem. Descansada. Não está mais zonza. Usando as mesmas roupas com as quais desmaiou na noite anterior, Malorie desce as escadas até a sala de estar.

Pouco antes de chegar ao piso de madeira, Jules passa, carregando uma pilha de roupas.

— Oi — cumprimenta ele.

Malorie o observa caminhar até o banheiro no fim do corredor. Depois, escuta-o mergulhar as roupas num balde de água.

Ao se virar para a cozinha, ela vê Cheryl e Don perto da pia. Malorie entra na cozinha enquanto Don tira um copo com água de um balde. Cheryl a escuta e se vira.

— Você deixou a gente preocupado ontem à noite — diz ela. — Está se sentindo melhor?

Malorie, ao perceber que desmaiou na noite anterior, fica um pouco envergonhada.

— Estou, estou bem. É só muita coisa para assimilar.

— Foi assim com todos nós — explica Don. — Mas você vai se acostumar. Logo, logo vai estar dizendo que a gente tem uma vida de luxo.

— Don é um cínico — afirma Cheryl com simpatia.

— Não sou nada — responde Don. — Adoro este lugar.

Malorie toma um susto quando Victor lambe sua mão. Ao se ajoelhar para fazer carinho no cachorro, ela ouve uma música vir da sala de jantar. Atravessa a cozinha e olha para o outro cômodo. Não tem ninguém, mas o rádio está ligado.

Ela olha de volta para Cheryl e Don próximos à pia. Atrás deles fica a porta para o porão. Malorie está prestes a perguntar sobre ele quando ouve a voz de Felix vindo da sala de estar. Ele está recitando o endereço da casa.

— Shillingham, 273... Meu nome é Felix... Estamos procurando qualquer pessoa que esteja viva... Sobrevivendo...

Malorie espia a sala de estar. Felix usa o telefone fixo.

— Ele está ligando para números aleatórios.

Malorie leva outro susto, desta vez ao ouvir a voz de Tom, que agora observa a sala de estar ao lado dela.

— Não temos uma lista telefônica? — pergunta ela.

— Não. E isso é uma constante fonte de frustração para mim.

Felix está discando outro número. Tom, segurando um pedaço de papel e um lápis, pergunta:

— Quer ir até a despensa comigo?

Malorie o segue até a cozinha.

— Você vai conferir o estoque? — pergunta Don enquanto Tom abre a porta do porão.

— Vou.

— Me diga como está a situação.

— Claro.

Tom entra primeiro. Malorie o segue pela escada de madeira. O piso do porão é de terra batida. No escuro, ela consegue sentir o cheiro da terra e tateá-la com os pés descalços.

O cômodo se ilumina de repente quando Tom puxa a cordinha de uma lâmpada. Malorie fica assustada com o que vê. O lugar lembra mais um depósito do que uma despensa. Prateleiras de madeira que parecem infinitas estão lotadas de alimentos enlatados. Do chão de terra ao teto, o lugar parece um *bunker*.

— George construiu isso tudo — diz Tom, indicando as prateleiras de madeira com a mão. — Ele realmente estava à frente na situação.

À esquerda, apenas parcialmente iluminada pela luz, Malorie vê uma cortina de tapeçaria transparente pendurada. Atrás dela ficam uma lavadora e uma secadora.

— Parece muita comida — explica Tom, apontando para as latas. — Mas não é. E é Don quem mais se preocupa com a quantidade que ainda temos.

— Com que frequência vocês conferem o estoque? — pergunta Malorie.

— Uma vez por semana. Mas, às vezes, quando fico inquieto, desço para conferir as coisas um dia depois de ter feito isso.

— Está frio aqui.

— Está. Um clássico porão frio para estocagem. É o ideal.

— O que acontece se ficarmos sem comida?

Tom a encara. Os traços dele parecem suaves àquela luz.

— Vamos buscar mais. Vasculhar mercados. Outras casas. Tudo o que conseguirmos.

— Entendi — responde ela, assentindo.

Enquanto Tom escreve no papel, Malorie examina o porão.

— Então este deve ser o cômodo mais seguro da casa — diz ela.

Tom faz uma pausa. Ele pensa a respeito.

— Acho que não. Acho que o sótão é mais seguro.

— Por quê?

— Você notou a tranca daqui? A porta é muito antiga. Dá para trancar, mas é frágil. Parece que este porão foi construído primeiro, há anos, antes de decidirem acrescentar uma casa a ele. Mas a porta do sótão... *Aquela* tranca é incrível. Se precisássemos nos proteger, se uma daquelas coisas entrasse na casa, eu diria que é para o sótão que gostaríamos de ir.

Malorie instintivamente olha para cima. Ela coça os ombros.

Se precisássemos nos proteger.

— A julgar pela comida que ainda temos — continua Tom —, vamos conseguir viver mais três ou quatro meses com isso. Parece bastante tempo, mas passa muito rápido aqui. Os dias começam a se misturar. Foi por isso que fizemos o calendário na parede da sala de estar. Sabe, o tempo não significa mais nada, de certa forma. Mas é uma das poucas coisas que restaram das nossas antigas vidas.

— A passagem do tempo?

— É. E o que fazemos com ele.

Malorie vai até um banquinho de madeira e se senta. Tom ainda está fazendo anotações.

— Vou lhe explicar todas as tarefas que temos quando voltarmos lá para cima — diz ele, e então aponta para o espaço entre as prateleiras e a cortina. — Está vendo aquilo ali?

Malorie olha, mas não entende o que ele quer dizer.

— Venha aqui.

Tom a leva até a parede, onde alguns dos tijolos estão quebrados. Uma terra surge por trás deles.

— Não sei se isso me dá medo ou se acho bom — afirma ele.

— Como assim?

— Bem, o chão está exposto. Será que isso significa que a gente poderia começar a cavar? Construir um túnel? Outro porão? Mais espaço? Ou esse é só mais um jeito de entrar na casa?

Os olhos de Tom ficam nítidos e brilhantes à luz do porão.

— O problema é que, se as criaturas realmente quisessem entrar na nossa casa... não encontrariam dificuldade para fazer isso. E acho que já teriam feito.

Malorie encara o buraco com terra aparente. Ela se imagina se arrastando por túneis, grávida. Imagina as minhocas.

Depois de um breve silêncio, pergunta:

— O que você fazia antes disso acontecer?

— Meu trabalho? Eu era professor. Do oitavo ano.

Malorie assente.

— Bem que eu achei que você parecia professor.

— Sabia que já ouvi isso? Muitas vezes! Acho que gosto dessa história.

Ele finge que está ajeitando o colarinho da camisa.

— Turma — diz —, hoje vamos aprender tudo sobre comida enlatada. Então, por favor, calem a porra da boca.

Malorie ri.

— O que você fazia? — pergunta Tom.

— Eu ainda não tinha chegado tão longe — responde ela.

— Você perdeu a sua irmã, não foi? — indaga Tom gentilmente.

— Perdi.

— Sinto muito — diz ele, e então completa: — Perdi uma filha.

— Meu Deus, Tom...

Ele hesita, como se refletisse se deveria contar mais ou não. Mas então prossegue:

— A mãe da Robin morreu no parto. Pode ser cruel estar contando isso, por causa da sua condição. Mas, se a gente vai se conhecer de verdade, é uma história que você precisa saber. Robin era uma criança incrível. Mais esperta do que o pai já aos oito anos. Ela gostava das coisas mais estranhas.

Do manual de um brinquedo mais do que do próprio brinquedo, por exemplo. Dos créditos de um filme em vez do próprio filme. Da maneira como alguma coisa era escrita. De uma expressão minha. Uma vez ela me disse que me achava parecido com o sol por causa do meu cabelo. Perguntei se eu brilhava como o sol e ela me respondeu: "Não, papai, você brilha mais como a lua, quando está escuro lá fora."

"Quando os casos foram noticiados e as pessoas começaram a levar aquilo a sério, fui um daqueles pais que disse que não ia viver com medo. Eu me esforcei muito para continuar com a nossa rotina. E mais que tudo quis passar essa ideia para Robin. Ela ouvira coisas na escola. Eu só não queria que ela sentisse tanto medo. Mas, depois de um tempo, não consegui mais fingir. Logo os pais começaram a tirar as crianças da escola. Depois a própria escola fechou. Temporariamente. Ou até que tivesse 'a confiança da comunidade para continuar a fornecer um ambiente seguro para as crianças'. Foram dias muito difíceis, Malorie. Eu também era professor, você sabe, e a escola em que trabalhava fechou as portas mais ou menos na mesma época. Então, de repente, começamos a passar muito tempo juntos em casa. Percebi como ela tinha crescido. Sua mente estava se desenvolvendo tanto... Mesmo assim, era nova demais para entender como as histórias nos jornais eram assustadoras. Fiz o que pude para não esconder nada dela, mas o pai dentro de mim algumas vezes não conseguiu se segurar e mudou de estação.

"O rádio acabou sendo demais para ela. Robin começou a ter pesadelos. Eu passava muito tempo acalmando minha filha. Sempre sentia que estava mentindo para ela. Concordamos que nenhum de nós olharia mais pela janela. Concordamos que ela não sairia mais sem a minha permissão. De alguma forma, eu tinha que fazer com que ela acreditasse que as coisas eram seguras e absurdamente perigosas ao mesmo tempo.

"Ela começou a dormir na minha cama, mas, certa manhã, acordei e ela não estava lá. Robin tinha falado na noite anterior que queria que as coisas voltassem a ser como eram. Dissera que queria a mãe, que nunca conheceu. Aquilo acabou comigo, ouvi-la falar daquele jeito. Tinha apenas oito anos e já me dizia que a vida era injusta. Quando acordei e não a encontrei, disse a mim mesmo que ela só estava se acostumando com a situação. Com aquela vida nova. Mas acho que talvez Robin tenha perdido um pouco da sua inocência na noite anterior, quando percebeu, antes de mim, como era grave a situação ao nosso redor.

Tom faz uma pausa. Olha para o chão.

— Eu a encontrei na banheira, Malorie. Flutuando. Os pequenos pulsos cortados com a gilete com a qual ela tinha visto eu me barbear milhares de vezes. A água estava vermelha. O sangue pingava da borda da banheira. Havia sangue nas paredes. Era uma criança. Oito anos. Será que olhou pela janela? Ou ela mesma simplesmente decidiu fazer aquilo? Nunca vou saber a resposta.

Malorie se aproxima de Tom e o abraça.

Mas ele não chora. Em vez disso, depois de um instante, vai até a prateleira e volta a fazer anotações no papel.

Malorie pensa em Shannon. Ela também morreu no banheiro. Também tirou a própria vida.

Quando termina, Tom pergunta se Malorie está pronta para voltar lá para cima. Enquanto estende a mão para puxar a cordinha da lâmpada, ele percebe que ela está olhando para o buraco aberto na parede.

— Dá medo, não dá? — pergunta Tom.

— Dá.

— Bem, não deixe que dê. É só um dos medos do velho mundo que a gente persiste em carregar.

— Que medo?

— O do porão.

Malorie assente.

Então Tom puxa a cordinha e a luz se apaga.

nove

Criaturas, pensa Malorie. *Que palavra boba.*

As crianças estão quietas, e as margens, silenciosas. Ela consegue ouvir os remos cortando a água. O ritmo das remadas está em sintonia com as batidas de seu coração, mas depois se perde. Quando as cadências se opõem, ela sente que poderia morrer.

Criaturas.

Malorie nunca gostou dessa palavra. De alguma forma parece errada. Acha que as coisas que a assombram há mais de quatro anos não são *criaturas*. Uma lesma de jardim é uma criatura. Um porco-espinho também. Mas o que se esgueirava por trás das janelas cobertas e a manteve vendada não é do tipo que um exterminador de pestes poderia matar.

"Bárbaro" também não é bom. Um bárbaro é imprudente. Assim como um brutamontes.

A distância, um pássaro canta, bem alto no céu. Os remos cortam a água, balançando a cada remada.

"Gigante" não se pode provar. Elas podem ser tão pequenas quanto uma unha.

Apesar de a família estar no início da jornada pelo rio, os músculos de Malorie doem de tanto remar. Sua camisa está encharcada de suor. Seus pés estão frios. A venda continua a irritá-la.

"Demônio." "Diabo." "Vampira." Talvez tudo isso.

A irmã dela morreu porque viu uma dessas coisas. Os pais devem ter encontrado o mesmo destino.

"Capeta" é bondoso demais. "Selvagem", humano demais.

Malorie não está só com medo das coisas que podem entrar no rio. Elas também a fascinam.

Será que sabem o que fazem? Será que querem fazer o que fazem?

Naquele instante, ela sente que o mundo inteiro está morto. Sente como se aquele barco a remo fosse o único lugar onde há vida humana. O resto do mundo se espalha a partir da ponta do barco, um mundo vazio, florescendo desabitado a cada remada.

Se não sabem o que fazem, não podem ser "vilões".

As crianças estão quietas há muito tempo. Ouve-se outro canto de pássaro no céu. Um peixe pula. Malorie nunca viu este rio. Como será que ele é? Será que as árvores ocupam as margens? As casas margeiam a costa?

São monstros, pensa Malorie. Mas ela sabe que são mais do que isso. São o *infinito*.

— Mamãe! — grita o Garoto de repente.

Uma ave de rapina grasna. O eco atravessa o rio.

— O que foi, Garoto?

— Parece um motor.

— O quê?

Malorie para de remar imediatamente. Ela ouve com atenção.

Ao longe, além do curso do rio, surge o som de um motor.

Malorie o reconhece no mesmo instante. É o barulho de outro barco se aproximando.

Em vez de ficar animada com a possibilidade de encontrar outro ser humano no rio, Malorie sente medo.

— Abaixem-se, vocês dois — ordena.

Ela deixa os remos descansarem em seus joelhos. O barco flutua.

O Garoto ouviu, diz a si mesma. *O Garoto ouviu porque você o criou bem e agora ele escuta melhor do que jamais vai conseguir enxergar.*

Respirando fundo, Malorie espera. O barulho do motor fica mais alto. O barco está viajando rio acima.

— Ai! — reclama o Garoto.

— O que foi?

— Minha orelha! Uma árvore bateu em mim.

Para Malorie, isso é bom. Se uma árvore bateu no Garoto, o barco deve estar próximo de uma das margens. Talvez, por alguma providência divina, a folhagem dê cobertura a eles.

O outro barco está muito mais perto agora. Malorie sabe que, se abrisse os olhos, poderia vê-lo.

— *Não* tirem a venda — ordena ela.

E então o barulho do barco está no mesmo volume que o do deles. Ele não segue o rio.

Quem quer que seja, pensa Malorie, *pode nos ver.*

O motor do barco é desligado de repente. O ar cheira a gasolina. Passos atravessam o que deve ser o deque.

— Olá! — diz uma voz.

Malorie não responde.

— Olá! Está tudo bem. Podem tirar as vendas! Sou só um homem comum.

— Não, *não podem* — afirma Malorie para as crianças.

— Não tem nada aqui além de nós, senhora. Pode acreditar em mim. Estamos sozinhos.

Malorie fica parada. Por fim, sentindo que não tem alternativa, responde:

— Como o senhor sabe?

— Senhora — diz ele. — Estou olhando para vocês. Fiquei de olhos abertos durante toda a viagem de hoje. E a de ontem também.

— Não dá para simplesmente *olhar* — afirma ela. — O senhor sabe disso.

O estranho ri.

— É sério. Não há nada a temer. Pode confiar em mim. Somos apenas nós dois neste rio. Só duas pessoas comuns que se cruzaram.

— Não! — grita Malorie para as crianças.

Ela solta a Menina e pega os remos de novo. O homem suspira.

— Não precisa viver assim, senhora. Pense nessas crianças. Você tiraria delas a chance de ver um dia lindo e alegre como este?

— Fique longe do nosso barco — diz Malorie, com a voz firme.

Silêncio. O homem não responde. Malorie se prepara. Ela se sente presa. Vulnerável. Naquele barco atracado à margem. Naquele rio. Naquele mundo.

Alguma coisa pula na água. Malorie se sobressalta.

— Senhora — diz o homem —, a vista é incrível, se não se importar com um pouco de neblina. Quando foi a última vez que olhou para fora? Já faz anos? Você já *viu* este rio? O céu? Aposto que nem se lembra de como é o céu.

Ela se lembra muito bem do mundo exterior. Lembra-se de voltar andando para casa depois da escola e passar por um túnel de flores amareladas pelo outono. Lembra-se dos quintais e jardins e das casas dos vizinhos. Lembra-se de deitar na grama do quintal com Shannon e decidir quais nuvens pareciam os meninos e as meninas da sua turma.

— Vamos manter as vendas — informa Malorie.

— Eu desisti disso, senhora — afirma ele. — Já superei. Por que não faz o mesmo?

— Deixe a gente em paz agora — ordena ela.

O homem suspira de novo.

— Não podem assombrar você para sempre — argumenta o homem. — Não podem forçar você a viver assim para sempre. Sabe disso, não é, senhora?

Malorie posiciona o remo direito em um ponto de onde acredita que pode empurrar a margem.

— Eu mesmo deveria tirar essas vendas de vocês — diz o homem de repente.

Malorie não se mexe.

Ele parece ranzinza. Um pouco irritado.

— Somos só duas pessoas — continua. — Que se encontraram nesse rio. Quatro, se incluirmos os pequenos. E eles não podem ser culpados pela maneira como você os cria. Sou o único aqui que tem coragem suficiente para olhar para fora. A sua preocupação só mantém você a salvo para que possa ficar ainda mais preocupada.

A voz dele está vindo de outro lugar. Malorie acha que o homem foi para a frente do barco. Ela só quer passar por ele. Só quer se afastar mais da casa onde estava de manhã.

— E vou lhe dizer uma coisa — afirma o sujeito de repente, de um lugar terrivelmente perto. — Eu *vi* um deles.

Malorie agarra o Garoto e o puxa pelas costas da camisa. Ele bate no fundo do barco e grita.

O homem ri.

— Não são tão feios quanto você imagina, senhora.

Ela lança o remo na direção da margem. E se atrapalha. É difícil achar alguma coisa sólida. Parecem gravetos e raízes. Lama.

Ele vai ficar maluco, pensa Malorie. *E vai machucar vocês.*

— Para onde você vai? — grita o homem. — Vai chorar toda vez que ouvir um graveto quebrar?

Malorie não consegue liberar o barco.

— *Não tirem as vendas!* — berra para as crianças.

O homem disse que viu um deles. Quando? *Quando?*

— Você acha que estou maluco, não acha?

Por fim, o remo bate com força na terra. Malorie empurra a margem, grunhindo. O barco se movimenta. Ela acha que pode ter conseguido soltá-lo. Então ele bate no barco do homem e ela grita.

Ele prendeu você.

Será que vai forçá-los a abrir os olhos?

— Quem é o louco aqui? Olhe só para você. Duas pessoas se encontram num rio...

Malorie se balança para a frente e para trás. Ela sente um espaço atrás do seu barco, uma espécie de abertura.

— Uma delas olha para o céu...

Malorie sente o remo afundar na terra.

— A outra tenta guiar um barco vendada.

O barco a remo está quase livre.

— Então, tenho que me perguntar...

— *Vá embora!* — berra Malorie.

— Quem é que enlouqueceu?

O homem dá uma gargalhada. A risada parece subir até o céu do qual ele fala. Ela pensa em perguntar: *Há quanto tempo você viu uma das criaturas?* Mas não faz isso.

— *Deixe a gente em paz!* — grita ela.

Por causa do esforço que ela faz para se afastar da margem, a água fria do rio espirra dentro do barco. A Menina berra. Malorie pede a si mesma: *Pergunte ao homem há quanto tempo ele viu a coisa.* Talvez a loucura não tenha se instalado ainda. Talvez o processo seja mais lento com ele. Quem sabe ele possa fazer uma última boa ação antes de perder toda a noção de realidade.

O barco se solta.

Tom uma vez disse que devia ser diferente para cada um. Disse que uma pessoa que já era maluca podia não ficar ainda mais louca. E que a mais sã podia levar mais tempo para enlouquecer.

— Abra os olhos, pelo amor de Deus! — grita o homem.

A voz dele mudou. Ele parece bêbado, diferente.

— Pare de fugir, senhora. *Abra os olhos!* — implora.

— Não escutem o que ele diz! — berra Malorie.

O Garoto está abraçando a mãe e a Menina choraminga atrás dela. Malorie treme.

— É a sua mãe que é maluca, crianças. Tirem essas vendas.

O homem de repente urra, fazendo ruídos com a garganta. Parece que alguma coisa morreu dentro dele. Quanto tempo vai levar para começar a se estrangular com a corda do próprio barco ou se jogar na hélice giratória do motor?

Malorie rema furiosamente. Sua venda não parece estar apertada o suficiente.

O que ele viu está por perto. O que ele viu está aqui no rio.

— *Não tirem as vendas!* — grita ela de novo enquanto passa pelo barco a motor do homem. — Vocês entenderam? *Respondam!*

— Entendemos! — diz o Garoto.

— Entendemos! — diz a Menina.

O homem urra outra vez, mas agora está mais longe deles. Parece que está tentando gritar, mas esqueceu como se faz isso.

Depois que o barco navega por mais quarenta metros e o som do motor atrás deles quase desaparece, Malorie estende a mão para a frente e encosta no ombro do Garoto.

— Não se preocupe, mamãe — diz ele.

Então Malorie estende o braço para trás e encontra a mão da Menina. Ela a aperta. Depois, soltando ambos, pega os remos de novo.

— Estão secos? — pergunta.

— Não — responde a Menina.

— Usem o cobertor para se secar. Agora.

O ar parece limpo outra vez. As árvores. A água.

A fumaça do combustível ficou para trás.

Você se lembra do cheiro da casa?, pensa Malorie.

Apesar do horror de ter encontrado o homem no barco, ela se lembra. O ar parado e abafado da casa. Já era assim no dia em que ela chegou. E nunca melhorou.

Ela não odeia o homem do barco. Só se sente triste por ele.

— Vocês se saíram muito bem — diz às crianças, tremendo enquanto rema para ainda mais longe pelo rio.

dez

Faz duas semanas desde que Malorie foi morar na casa. Os moradores vivem quase unicamente da comida enlatada da despensa, além da pequena quantidade de carne congelada que está guardada no freezer. Toda manhã, Malorie fica aliviada ao ver que ainda há eletricidade. O rádio é a fonte de notícias, mas o único locutor que continua vivo, Rodney Barrett, não tem nenhuma novidade para contar. Em vez disso, ele divaga. Fica irritado. Xinga. Os colegas de casa até já o ouviram dormir ao vivo. Mas, apesar de tudo isso, Malorie entende por que continuam a ouvi-lo. Mesmo que a voz esteja baixinha, ao fundo, ou preencha toda a sala de jantar, onde o rádio fica, ele é a última ligação que têm com o mundo exterior.

Malorie já se sente presa em um cofre. A claustrofobia é assustadora e pesa nela e no bebê.

No entanto, essa noite seus companheiros de casa vão dar uma espécie de festa.

Os seis estão reunidos em torno da mesa de jantar. Além da comida enlatada, do papel higiênico, das baterias, das velas, dos cobertores e das ferramentas armazenados no porão, há algumas garrafas de rum — que são um bom acompanhamento para a maconha trazida por Felix (que, envergonhado, admitiu que estava esperando mais uma casa "hippie" do que o grupo bem organizado que encontrou ao chegar). Malorie, por respeito à gravidez, é a única que não compartilha da bebida e do fumo. Mesmo assim, certos humores são contagiantes, e, enquanto Rodney Barrett sai da rotina e põe uma música para tocar, Malorie consegue sorrir e, às vezes, até rir, apesar dos horrores inimagináveis que viraram parte de sua rotina.

Há um piano na sala de jantar. Assim como a pilha de livros de humor ao lado da penteadeira em seu quarto, o piano parece uma reminiscência de outra época, quase fora de lugar.

Nesse momento, Tom está tocando piano.

— Em que tom é essa música? — grita ele, suando, para a outra ponta da sala, onde Felix está sentado à mesa. — Você conhece os tons?

Felix sorri e balança a cabeça.

— Como é que vou saber? Mas posso cantar com você daqui, Tom.

— Por favor, não faça isso — pede Don, bebendo rum de uma taça, sorrindo.

— Não, não — explica Felix, rindo. — Sou bom de verdade!

Felix tropeça ao se levantar. Ele se junta a Tom no piano. Juntos, os dois cantam "It's De-Lovely". O rádio está apoiado num aparador espelhado. A música de Rodney Barrett briga baixinho com a de Cole Porter.

— Como você está, Malorie? — pergunta Don, sentado na outra ponta da mesa. — Está gostando daqui?

— Estou bem — responde ela. — Penso muito no bebê.

Don sorri. E quando ele faz isso, Malorie vê certa tristeza em seu rosto. Ela sabe que Don também perdeu uma irmã. Todos os seus companheiros de casa sofreram perdas devastadoras. Os pais de Cheryl, com medo, foram para o sul de carro. Ela não fala com eles desde então. Felix espera conseguir notícias dos irmãos toda vez que faz um telefonema aleatório. Jules costuma falar da noiva, Sydney, que achou na sarjeta, perto do prédio onde moravam, antes de responder ao mesmo anúncio que Malorie encontrou. O pescoço dela havia sido cortado. Mas Malorie acha que a história de Tom é a pior. Se é que essa palavra ainda faz sentido.

Naquele momento, observando-o tocar piano, Malorie sofre pelo amigo.

Por um instante, quando "It's De-Lovely" termina, eles conseguem ouvir o rádio de novo. A música que Rodney Barrett colocou para tocar também chega ao fim. Então ele começa a falar.

— Escutem, escutem — pede Cheryl.

Ela atravessa a sala até o local onde fica o rádio. Agacha-se diante dele e aumenta o volume.

— Ele parece mais deprimido do que de costume.

Tom ignora o rádio. Suando, bebendo rum, batuca as primeiras notas de "I've Got Rhythm", de Gershwin. Don se vira para ver do que Cheryl está falando. Jules, sentado no chão, encostado na parede e fazendo carinho em Victor, vira a cabeça lentamente para o rádio.

"Criaturas", diz Rodney Barrett. A voz dele está arrastada. "O que vocês tiraram de nós? O que estão fazendo aqui? Têm algum objetivo?"

Don se levanta e se junta a Cheryl ao lado do rádio. Tom para de tocar.

— Eu nunca ouvi esse cara falar diretamente com as criaturas — comenta, do banco do piano.

"Perdemos mães, pais, irmãs, irmãos", lembra Rodney Barrett. "Perdemos mulheres e maridos, amantes e amigos. Mas nada dói mais do que as crianças que tiraram de nós. Como ousam pedir a uma criança que olhe para vocês?"

Malorie lança um olhar para Tom. Ele está ouvindo. Tem os olhos distantes. Ela se levanta e vai até ele.

— Ele já ficou baixo-astral antes — afirma Cheryl sobre Rodney Barrett. — Mas nunca tanto assim.

— É — concorda Don. — Ele parece mais bêbado do que a gente.

— Tom — diz Malorie, sentando-se ao lado do amigo ao piano.

— Ele vai se matar — afirma Don, de repente.

Malorie olha para Don, na intenção de pedir que se cale, depois ouve a mesma coisa que ele ouviu. O desamparo completo na voz de Rodney Barrett.

"Hoje eu vou trapacear no jogo de vocês", afirma o locutor. "Vou tirar a única coisa que vocês ainda podem tirar de mim."

— Ai, meu *Deus* — exclama Cheryl.

O rádio fica em silêncio.

— Desligue isso, Cheryl — pede Jules. — *Desligue!*

Enquanto ela estende a mão, o som de um tiro ressoa nos alto-falantes.

Cheryl grita. Victor late.

— Que *merda* foi essa que acabou de acontecer? — pergunta Felix, encarando o rádio sem entender.

— Ele se matou — diz Jules, impassível. — Não consigo acreditar nisso.

Silêncio.

Tom se levanta do banco do piano e desliga o rádio. Felix toma mais um gole de sua bebida. Jules está apoiado sobre um dos joelhos, acalmando Victor.

Então, de repente, como se fosse um eco do tiro, alguém bate na porta.

Logo em seguida, há uma segunda batida.

Felix se aproxima da porta e Don agarra o braço dele.

— *Não* abra a porta assim, cara. Pelo amor de Deus. O que deu em você?

— Eu não ia abrir, cara! — responde Felix, puxando seu braço de volta.

As batidas recomeçam. A voz é de uma mulher.

— Olá?

Os moradores da casa ficam parados, em silêncio.

— Alguém responda — pede Malorie, levantando-se do piano para fazer isso. Mas Tom é mais rápido que ela.

— Oi! — grita ele. — Estamos aqui. Quem é você?

— Olympia! Meu nome é Olympia! Me deixem entrar!

Tom faz uma pausa. Parece estar bêbado.

— Você está sozinha? — pergunta.

— Estou!

— Com os olhos fechados?

— Sim, meus olhos estão fechados. Estou com muito medo. Por favor, me deixem entrar!

Tom olha para Don.

— Alguém vá pegar os cabos de vassoura — pede.

Jules sai para pegá-los.

— Não acho que a gente possa aceitar mais bocas para alimentar — afirma Don.

— Você é maluco — diz Felix. — Tem uma mulher lá fora...

— Eu sei o que está acontecendo, Felix — responde Don, irritado. — Só que não podemos abrigar o país inteiro.

— Mas ela está lá fora agora — argumenta Felix.

— E a gente está bêbado — retruca Don.

— Por favor, Don — insiste Tom.

— Não me transforme em vilão — pede Don. — Você sabe tão bem quanto eu quantas latas exatamente temos no porão.

— Olá? — grita a mulher de novo.

— Espere aí! — responde Tom.

Tom e Don se encaram. Jules entra no hall. Ele entrega uma das vassouras para Tom.

— Façam o que quiserem, pessoal — afirma Don. — Mas vamos morrer de fome mais cedo por causa disso.

Tom se vira para a porta da frente.

— Fechem os olhos, gente.

Malorie ouve os sapatos do amigo atravessarem o piso de madeira do hall.

— Olympia? — grita Tom.

— Oi!

— Vou abrir a porta agora. Quando eu fizer isso, assim que você ouvir que está aberta, entre o mais rápido que puder. Entendeu?

— Entendi!

Malorie ouve a porta da frente se abrir. Há uma comoção. Ela imagina Tom puxando a mulher para dentro como os outros fizeram com ela duas semanas antes. Então a porta bate, se fechando.

— Continuem de olhos fechados! — pede Tom. — Vou fazer uma revista. Para garantir que nada entrou com você.

Malorie ouve o cabo de vassoura bater nas paredes, no chão, no teto e na porta da frente.

— Está bem — diz ele, por fim. — Vamos abrir os olhos.

Ao abrir os seus, Malorie vê uma moça muito bonita, pálida, de cabelos negros, ao lado de Tom.

— Obrigada — diz ela, ofegante.

Tom começa a fazer uma pergunta, mas Malorie o interrompe:

— Você está grávida? — pergunta a Olympia.

Olympia olha para a própria barriga. Tremendo, ergue o olhar, assentindo.

— Estou de quatro meses — responde.

— Incrível! — exclama Malorie, se aproximando. — Igual a mim.

— Porra — xinga Don.

— Sou vizinha de vocês — explica Olympia. — Desculpe por assustá-los assim. Meu marido é da aeronáutica. Não recebo notícias dele há semanas. Talvez esteja morto. Ouvi vocês. O piano. Levei um tempo para criar coragem e vir até aqui. Normalmente, traria cupcakes.

Apesar da história horrível que todos na sala acabaram de ouvir, a inocência de Olympia rompe a escuridão.

— Estamos felizes por ter você aqui — diz Tom, mas Malorie pode ouvir em sua voz a exaustão e a pressão por ter que cuidar de duas grávidas. — Entre.

Eles conduzem Olympia pelo corredor até a sala de estar. Ao pé da escada, ela leva um susto e aponta para uma foto pendurada na parede.

— Ah! — exclama. — Este homem está aqui?

— Não — explica Tom. — Não está mais. Você deve conhecer George. Ele era dono desta casa.

Olympia assente.

— É, já vi esse cara várias vezes.

Os moradores da casa se reúnem na sala de estar. Tom se senta com Olympia no sofá. Malorie ouve em silêncio enquanto ele, sombrio, pergunta à mulher sobre os objetos da casa dela. O que ela tem. O que deixou para trás.

O que podem usar ali.

onze

Malorie está remando pelo que parecem ser três horas. Os músculos de seus braços queimam. A água fria balança no fundo do barco, água que ela mesma jogou, pouco a pouco, cada vez que mergulhava os remos. Alguns minutos atrás, a Menina avisou que precisava fazer xixi. A mãe disse que ela podia fazer. Agora a urina da Menina se mistura à água do rio e Malorie sente algo quente batendo em seus sapatos. Está pensando no homem do barco pelo qual passaram.

As crianças, pensa Malorie, *não tiraram as vendas. Aquela foi a primeira voz humana que ouviram além das próprias vozes. Mesmo assim, não lhe deram ouvidos.*

É, ela as treinou bem. Mas não é bom pensar nisso. *Treinar* as crianças significa que as deixou tão assustadas que as duas não a desobedecerão sob nenhuma circunstância. Quando era mais nova, Malorie se rebelava contra os pais o tempo todo. Não era permitido comer açúcar em casa. Malorie levava doces escondidos para seu quarto. Não era permitido ver filmes de terror em casa. Malorie descia na ponta dos pés para assistir-lhes na TV à meia-noite. Quando os pais disseram que ela não podia dormir no sofá da sala, ela levou a própria cama para lá. Essas foram suas aventuras de infância. Os filhos de Malorie não sabem o que é isso.

Quando eram bebês, ela os treinou para que acordassem de olhos fechados. Parada, sobre as camas cobertas por arame, com um mata-moscas na mão, ela esperava. Quando acordavam e abriam os olhos, ela batia com força no braço deles. Eles choravam. Malorie estendia a mão e fechava os olhos dos bebês com os dedos. Se mantivessem os olhos fechados, ela levantava a camisa e os amamentava. *Recompensa.*

— Mamãe — chama a Menina —, aquele era o mesmo homem que canta no rádio?

A Menina está se referindo a uma fita que Felix costumava ouvir.

— Não — responde o Garoto.

— Então quem era? — pergunta a Menina.

Malorie se vira e a encara, para que sua voz fique mais alta.

— Achei que tivéssemos combinado que vocês dois não fariam nenhuma pergunta que não tivesse relação com o rio. Vamos romper esse acordo?

— Não — responde a Menina, baixinho.

Quando tinham três anos, ela os treinou para pegar água no poço. Amarrando uma corda na própria cintura, atou a outra ponta no Garoto. Depois, pedindo que ele tateasse o caminho com os pés, ela o mandou sair, para que fizesse a tarefa sozinho. Malorie ouvia o som do balde sendo erguido com dificuldade. Ouvia o filho se esforçar para trazê-lo de volta para ela. Muitas vezes escutou o balde escorregar das mãos do Garoto. Sempre que isso acontecia, ela o fazia voltar para tentar de novo.

A Menina odiava aquela tarefa. Dizia que o chão era "muito cheio de buracos" perto do poço. Que parecia haver pessoas morando embaixo da grama. Malorie não deu comida à Menina até que ela concordasse em buscar água.

Na época em que aprenderam a andar, as crianças eram posicionadas em lados opostos da sala de estar. Malorie andava pelo carpete. Quando perguntava: "Onde estou?", o Garoto e a Menina apontavam. Então ela subia para o segundo andar, descia e perguntava: "Onde estive?" As crianças apontavam. Se erravam, Malorie gritava com elas.

No entanto, elas não erravam com frequência. E logo passaram a não errar nunca.

O que Tom diria sobre isso?, pensa ela. *Falaria que você é a melhor mãe do mundo. E você acreditaria nele.*

Sem Tom, Malorie só podia confiar em si mesma. E, muitas vezes, sentada sozinha à mesa da cozinha, as crianças dormindo no quarto, ela se fazia a pergunta inevitável:

Será que você é uma boa mãe? Esse tipo de coisa ainda existe?

Agora Malorie sente um leve tapinha no joelho. Fica ofegante. Mas é só o Garoto. Ele quer comida. Do meio do barco, Malorie enfia a mão no bolso da jaqueta e lhe entrega uma trouxinha de comida. Ouve seus pequenos dentes mastigarem as nozes enlatadas que ficaram nas prateleiras do porão por quatro anos e meio, até que ela as pegasse naquela manhã.

Então Malorie para de remar. Sente calor. Muito calor. Está suando como se fosse verão. Tira a jaqueta e a põe no banco a seu lado. Logo sente outro tapinha leve em suas costas. A Menina também está com fome.

Será que você é uma boa mãe?, pergunta a si mesma de novo, entregando mais uma trouxinha de comida.

Como pode esperar que seus filhos sonhem em chegar às estrelas se não podem erguer a cabeça e olhar para elas?

Malorie não sabe a resposta.

doze

Tom está construindo alguma coisa com um velho estojo de violão e uma almofada do sofá. Olympia dorme no segundo andar, no quarto ao lado do de Malorie. Felix deixou o quarto para ela assim como Tom cedeu o dele para Malorie. Felix está dormindo no sofá da sala. Na noite anterior, Olympia contou quais itens ela tem em casa e Tom fez anotações detalhadas. O que começou como uma conversa esperançosa terminou com os companheiros de casa decidindo que as poucas coisas úteis não valiam o risco de ir buscá-las. Papel. Outro balde. A caixa de ferramentas do marido de Olympia. Mesmo assim, como afirmou Felix, se e quando a necessidade daqueles objetos fosse maior do que o risco, eles poderiam buscá-los. Algumas coisas, lembrou Don, seriam necessárias mais cedo ou mais tarde. Nozes, atum, massa, condimentos em lata. Enquanto discutiam sobre comida, Tom contou aos outros quantas latas ainda havia na despensa. Como era uma quantidade finita, Malorie ficou bastante preocupada.

Jules está dormindo no fim do corredor. Está em um colchão que foi colocado no chão num canto do quarto. O de Don fica no outro canto. Entre eles, há uma mesa alta de madeira com os pertences dos dois. Victor está no quarto com ele. Jules ronca. Uma música suave toca num pequeno toca-fitas. Vem da sala de jantar, onde Felix e Don jogam baralho com cartas do personagem Pee-Wee Herman. Cheryl está lavando roupa num balde na pia da cozinha.

Malorie está sozinha com Tom no sofá da sala.

— O homem que era dono dessa casa — diz ela. — Era George o nome dele? Foi ele que publicou o anúncio? Ele estava aqui quando você chegou?

Tom, que está tentando fazer uma proteção acolchoada para o para-brisa de um carro, encara Malorie nos olhos. O cabelo dele parece ainda mais louro à luz da lâmpada.

— Fui o primeiro a responder ao anúncio — conta Tom. — George era ótimo. Ele convidou estranhos para a sua casa enquanto todo mundo trancava as portas. E era um progressista também, um grande *pensador*. Estava sempre tendo novas ideias. Como a de que talvez a gente pudesse olhar pela janela através de lentes. Ou de um vidro refratário. Telescópios. Binóculos. Essa era a grande ideia dele. Se o problema é a visão, talvez a gente só precise alterar nosso modo de ver. Ou mudar a maneira física como enxergamos alguma coisa. Ao olhar *através* de um objeto, talvez as criaturas não nos machuquem. Nós dois estávamos realmente procurando um jeito de resolver isso. E George, por ser o homem que era, não ficava satisfeito só discutindo. Queria que a gente testasse essas teorias.

Enquanto Tom fala, Malorie pensa no rosto das fotos dispostas ao longo da escada.

— Na noite em que Don chegou, nós três estávamos sentados na cozinha, ouvindo rádio, quando George sugeriu que deveria haver alguma variação de "vida" que estava causando essas coisas. Isso foi antes da MSNBC propor essa teoria. George disse que tirou a ideia de um livro antigo, *Possibilidades impossíveis*. Era sobre tipos de vida incompatíveis. Dois mundos cujos componentes fossem completamente diferentes poderiam causar danos um ao outro caso se cruzassem. E se essa outra forma de vida conseguisse chegar aqui... Bem, era isso que George dizia que tinha acontecido. Que eles haviam *mesmo* encontrado uma maneira de chegar aqui, intencionalmente ou não. Eu adorei a ideia. Mas Don não gostou. Na época, ele passava muito tempo na internet, pesquisando produtos químicos, raios gama, qualquer coisa invisível que pudesse causar danos caso alguém olhasse porque não se saberia para que se estaria olhando. É, Don foi muito rígido com a gente sobre isso. Ele é muito impetuoso. Você já deve ter percebido que fica muito irritado.

Mas George era do tipo de pessoa que, quando tinha uma ideia, precisava testá-la, não importava quão perigoso fosse.

"Quando Felix e Jules chegaram, George já estava pronto para testar sua teoria sobre a visão refratada. Li com ele tudo que descobriu na internet. Muitos sites sobre a visão, como os olhos funcionam, sobre ilusões de ótica e luz refratada, sobre como funcionam exatamente telescópios e tal. Falávamos sobre isso o tempo todo. Enquanto Don, Felix e Jules dormiam, George e eu ficávamos sentados à mesa da cozinha e desenhávamos esquemas. Ele andava de um lado para outro, depois parava, se virava para mim e perguntava: 'Você sabe se alguma das vítimas usava óculos? Talvez uma janela fechada pudesse nos proteger, caso aplicássemos determinados ângulos ao vidro.' Então discutíamos a questão por mais uma hora.

"Todos nós assistíamos ao jornal o tempo todo, torcendo por uma nova pista, uma informação que poderíamos usar para encontrar um jeito de as pessoas se protegerem. Mas os relatos começaram a se repetir. E George ficou impaciente. Quanto mais ele falava sobre testar sua teoria da 'visão alterada', mais vontade tinha de tentar. Eu estava com medo, Malorie. Mas George era como o capitão de um navio naufragando e não tinha medo de morrer. E se funcionasse? Bem, isso significaria que ele teria ajudado o planeta a curar sua epidemia mais assustadora.

Enquanto Tom fala, a luz da lâmpada dança em seus olhos azuis.

— O que ele usou? — pergunta Malorie.

— Uma câmera — explica Tom. — Tinha uma lá em cima. Uma daquelas antigas de VHS. Fez tudo sem nos contar. Certa noite, ele a instalou atrás de um dos cobertores pendurados na sala de jantar. Fui o primeiro a acordar de manhã e encontrei George dormindo no chão. Quando me ouviu, ele se levantou e correu para a câmera. "Tom", disse, "eu consegui. Gravei cinco horas de vídeo. Está bem aqui, *aqui*, nessa câmera. Posso estar guardando a cura para essa coisa. A visão indireta. *Vídeo*. Temos que assistir a isso."

"Eu disse que achava uma má ideia. Também pensei que ele talvez não tivesse captado nada em apenas cinco horas. Mas George tinha um plano que contou para a gente. Disse que precisava que um de nós o amarrasse a uma cadeira num dos quartos do segundo andar. Ele assistiria ao filme lá. Achou que, amarrado à cadeira, não seria capaz de se machucar se as coisas dessem errado. Don ficou muito irritado. Disse ao George que ele era uma ameaça para todos. Disse, e estava certo, que não sabíamos com o que estávamos lidando e que, se alguma coisa acontecesse a George, poderia acontecer a todos nós. Mas Felix e eu não nos opusemos. Votamos. Don foi o único que não quis que George fizesse aquilo. Ele chegou a ameaçar ir embora. A gente o convenceu a não fazer isso. Por fim, George disse que não precisava de permissão para fazer o que quisesse na própria casa. Então falei que o amarraria à cadeira.

— E você o amarrou?

— Amarrei.

Seus olhos miraram o carpete.

— Começou com George arquejando. Como se tivesse alguma coisa presa na garganta. Fazia duas horas que estava lá e não tinha emitido som algum. Depois começou a berrar para a gente: "Tom, seu merda! Venha aqui. *Venha aqui.*" Ele ria, depois berrava e então urrava. Parecia um cachorro. Ouvimos a cadeira bater com força no chão. Ele gritava obscenidades. Jules se levantou para ir ajudá-lo e eu agarrei o braço dele para impedir. Não podíamos fazer nada além de ouvir. E ouvimos a coisa toda. Tudo, até a cadeira quebrar e os gritos pararem. Então a gente esperou. Esperou por um bom tempo. Por fim, subimos juntos até o segundo andar. Vendados, desligamos o vídeo cassete e abrimos os olhos. Vimos o que George havia feito consigo mesmo. Ele havia forçado tanto as cordas que elas haviam *atravessado* os músculos e chegado até os ossos. O corpo inteiro dele parecia uma cobertura de bolo, sangue e pele dobrados por cima das cordas no peito, na barriga, no pescoço, nos pulsos, nas pernas... Felix vomitou. Don e eu nos ajoelhamos ao lado de George e começamos a limpar. Quando terminamos, Don insistiu que queimássemos a fita. Foi o que fizemos. E, enquanto ela queimava, eu não conseguia parar de pensar que nossa primeira teoria concreta ia por água abaixo. Parece que, não importa sob que ângulo vemos as criaturas, elas sempre nos machucam.

Malorie está em silêncio.

— Mas quer saber? Ele tinha razão. De alguma maneira. Formulou a hipótese de que eram criaturas muito antes de os jornais dizerem isso. Obviamente estava no caminho certo. Se tivesse feito alguma coisa diferente, George poderia ter sido o cara que mudou o mundo.

Há lágrimas nos olhos de Tom.

— Você sabe o que mais me preocupa nessa história, Malorie?

— O quê?

— A câmera só ficou ligada por cinco horas e gravou alguma coisa. Quantos deles estão lá fora?

Malorie olha para os cobertores que tapam as janelas. Depois volta o olhar para Tom. Ele continua ajustando o protetor de para-brisa que está montando. A música soa baixinho na sala de jantar.

— Bem — diz Tom, erguendo o objeto nas mãos. — Espero que uma dessas coisas ajude. Sabe, não podemos parar de tentar só porque George morreu. Às vezes acho que isso afetou Don. Com certeza provocou alguma coisa nele.

Tom se levanta e exibe o que construiu. Malorie escuta um estalo e a coisa se desmonta aos pés dele.

Ele se vira para Malorie.

— Não podemos parar de tentar.

treze

Felix anda até o poço. Um dos seis baldes da casa pende de sua mão direita. É o de madeira. A alça de ferro preta o faz parecer velho. É mais pesado do que os outros, mas Felix não se importa. Na verdade, gosta desse balde. Mantém os pés dele no chão, como diz.

Há uma corda amarrada em sua cintura. A outra ponta está presa a uma estaca de metal enfiada na terra, perto da porta dos fundos da casa. A corda está bem frouxa. Parte dela roça nas pernas da calça e nos sapatos de Felix. Ele está com medo de tropeçar, por isso, com a mão esquerda, ergue a corda e a mantém longe do corpo. Está vendado. Os pedaços de velhas molduras que marcam o caminho indicam quando ele vai demais para um lado ou para outro.

— Parece aquele Jogo da Operação! — grita Felix para Jules, que espera, vendado, ao lado da estaca. — Você se lembra desse jogo? Toda vez que meus pés encostam na madeira, ouço tocar um alarme.

Jules está falando desde que Felix começou a andar na direção do poço. É assim que os moradores da casa fazem. Um vai pegar água e outro, através da voz, permite que o primeiro saiba a que distância está da casa. Jules não fala nada de especial. Comenta as notas que tirou na faculdade. Lista os três primeiros empregos que teve depois de se formar. Felix ouve algumas palavras, outras não. Não importa. Enquanto Jules estiver falando, Felix se sente menos perdido.

Mas não muito menos.

Ele esbarra no poço quando o alcança. A borda de paralelepípedos arranha sua coxa. Felix fica impressionado ao perceber como aquilo dói mesmo andando tão devagar e imagina como poderia doer se estivesse correndo.

— Estou no poço, Jules! Vou amarrar o balde agora.

Jules não é o único esperando Felix. Cheryl está atrás da porta dos fundos da casa, que está fechada. Parada na cozinha, ela ouve através da porta. O morador que espera dentro da cozinha só fica ali para o caso de alguma coisa dar errado do lado de fora. Ela espera que seu papel de "rede de segurança" não signifique nada hoje.

Acima da boca do poço fica uma tábua de madeira. Em cada ponta dela há um gancho de ferro. É por isso que Felix gosta de levar o balde de madeira quando vai pegar água. É o único que se encaixa perfeitamente nos ganchos. Ele amarra a corda do poço no balde. Quando está bem presa, gira a manivela, esticando bem a corda. Então esfrega as mãos livres na calça jeans.

Em seguida, ouve alguma coisa se mover.

Virando a cabeça rapidamente, Felix leva as mãos ao rosto. Mas nada acontece. Nada o ataca. Ele consegue ouvir Jules falando na porta dos fundos. Algo sobre um trabalho de mecânico. Consertar coisas.

Felix escuta.

Ofegante, ele gira a manivela na direção oposta, os ouvidos alertas para o quintal. A corda está frouxa o bastante para que consiga tirar o balde dos ganchos e deixá-lo suspenso acima da abertura do poço. Espera outro minuto. Jules grita:

— Está tudo bem, Felix?

Ele aguarda mais um instante antes de responder. Enquanto responde, sente como se a voz denunciasse sua localização exata.

— Está. Achei que tivesse ouvido alguma coisa.

— O quê?

— Achei que tivesse ouvido alguma coisa! Vou pegar a água agora.

Girando a manivela, Felix faz o balde descer. Ele o ouve bater nas pedras laterais do interior do poço. Ecos se seguem aos sons das batidas. Felix sabe que são necessários cerca de vinte giros da manivela para que o balde alcance a água. Está contando.

— Onze, doze, treze...

No décimo nono giro, Felix ouve a água espirrar no fundo do poço. Quando acha que o balde está cheio, ele o puxa de volta. Prendendo-o nos ganchos, solta a corda e começa a andar na direção de Jules.

Precisa fazer isso três vezes.

— Estou levando o primeiro! — grita Felix.

Jules ainda está falando sobre consertar carros. Quando Felix o alcança, Jules encosta no ombro do amigo. Normalmente, nesse momento, o morador que está de pé ao lado da estaca bate na porta dos fundos para avisar à pessoa esperando do lado de dentro que o primeiro balde acabou de chegar. Mas Jules hesita.

— O que você ouviu lá? — pergunta.

Felix, carregando o balde pesado, pensa.

— Provavelmente era um veado. Não tenho certeza.

— O som veio da floresta?

— Não sei de onde veio.

Jules fica quieto. Então Felix o ouve se mexer.

— Está conferindo se estamos realmente sozinhos?

— Estou.

Ao se dar por satisfeito, Jules bate duas vezes na porta dos fundos. Pega o balde das mãos de Felix. Cheryl abre a porta rapidamente e Jules lhe entrega o balde. A porta se fecha.

— Aqui está o segundo — diz Jules, entregando outro balde a Felix.

Ele anda até o poço. O balde que carrega agora é feito de placas de metal. Existem três desses na casa. Há duas pedras pesadas no fundo dele. Tom as colocou ali quando percebeu que o balde não era pesado o bastante para afundar. Está pesado, mas não como o de madeira. Jules está falando de novo. Agora disserta sobre raças de cachorros. Felix já ouviu sobre isso. Jules teve uma labradora branca, Cherry. Ele diz que foi seu cachorro mais arisco. Quando o sapato de Felix esbarra na madeira que demarca o caminho, ele quase cai. Está andando rápido demais. Sabe disso. Então diminui a velocidade. Desta vez, perto do poço, tateia com a mão estendida até encontrá-lo. Apoia o balde na borda de paralelepípedos e começa a amarrar a corda na alça.

Ele ouve alguma coisa. De novo. Parece madeira se quebrando ao longe.

Quando se vira, Felix esbarra sem querer na borda do balde, que cai dentro do poço. A manivela gira sem a ajuda de Felix. O balde bate no fundo. Há o eco forte do metal atingindo a pedra. Jules o chama. Felix, virando-se, sente-se muito vulnerável. Mais uma vez, não sabe de onde veio o som. Ele escuta, ofegante. Apoiado nas pedras do poço, espera.

As folhas das árvores farfalham com o vento.

Nada mais.

— Felix?

— Eu deixei o balde cair no poço!

— Estava amarrado?

Felix para e pensa.

Então se volta, nervoso, para o poço. Puxa a corda e descobre que, sim, amarrou o balde antes de derrubá-lo. Solta a corda. Vira-se para o quintal. Faz uma pausa. Então começa a puxar o segundo balde.

Enquanto Felix retorna para a casa, Jules faz perguntas:

— Você está bem?

— Estou.

— Só deixou o balde cair?

— Derrubei o balde. É. Achei que tivesse ouvido alguma coisa de novo.

— Qual som era? Um galho se partindo?

— Não. Era. Talvez. Não sei.

Quando Felix chega à porta, Jules pega o balde.

— Tem certeza de que está se sentindo bem hoje para fazer isso?

— Tenho. Já peguei dois baldes. Está tudo bem. É só que estou ouvindo umas merdas aqui em volta, Jules.

— Quer que eu vá buscar o último?

— Não, eu consigo.

Jules bate na porta dos fundos. Cheryl a abre, pega o balde e entrega o terceiro a Jules.

— Vocês estão bem? — pergunta ela.

— Estamos — responde Felix. — Estamos ótimos.

Cheryl fecha a porta.

— Pronto — afirma Jules. — Se precisar de mim, me avise. Lembre-se de que está preso à estaca.

Jules puxa a corda.

— Está bem.

Na terceira caminhada até o poço, Felix precisa diminuir o passo de novo. Entende por que está apressado. Quer voltar para casa, onde pode olhar para o rosto de Jules, onde os cobertores nas janelas lhe fazem sentir mais seguro. Mesmo assim, chega ao poço mais rápido do que esperava. Devagar, amarra a corda à alça do balde. Depois para.

Não ouve som algum a não ser a voz de Jules vindo da outra ponta da corda.

Parece que o mundo está silencioso *demais*.

Felix gira a manivela.

— Um, dois...

Jules está falando. Sua voz parece distante. Muito distante.

— ...seis, sete...

Jules parece ansioso. Por que ele parece ansioso? Deveria parecer?

— ...dez, onze...

Suor se forma atrás da venda de Felix e lentamente escorre pelo seu nariz.

Vamos entrar daqui a pouquinho, pensa. *Só encha o terceiro balde e dê o fora logo...*

Ele ouve o som de novo. Pela terceira vez.

Mas, agora, percebe de onde está vindo.

Está vindo de dentro do poço.

Felix solta a manivela e dá um passo para trás. O balde cai, batendo nas pedras, antes de mergulhar na água.

Alguma coisa se mexeu. Alguma coisa se mexeu na água.

Será que alguma coisa se mexeu na água?

De repente ele sente frio, muito frio. Está tremendo.

Jules o chama, mas Felix não quer gritar em resposta. Não quer fazer barulho algum.

Ele espera. E, quanto mais espera, mais assustado fica. Como se o silêncio ficasse mais alto. Como se estivesse prestes a escutar algo que não quer ouvir. No entanto, quando não ouve nenhum outro barulho, Felix lentamente começa a se convencer de que estava errado. Poderia ser alguma coisa no poço, claro, mas também poderia ser no rio. Ou na floresta. Ou na grama.

Pode ter vindo de *qualquer lugar* ali fora.

Ele se aproxima do poço de novo. Antes de pegar a corda, toca na borda de paralelepípedo. Passa os dedos por ela. Está medindo a largura do poço.

Será que você caberia aí? Alguém caberia aí?

Ele não tem certeza. Vira-se para a casa, pronto para deixar o balde lá mesmo. Então se volta para o poço e começa a girar a manivela, depressa.

Você está ouvindo coisas. Está ficando doido, cara. Traga o balde para cima. Volte para dentro. Agora.

Mas, enquanto gira a manivela, Felix sente um medo talvez grande demais para ser controlado. O balde, pensa ele, está um pouquinho mais pesado do que de costume.

NÃO está mais pesado! Puxe o balde para CIMA e VOLTE para a casa AGORA!!

No momento em que o balde chega à borda, Felix para. Devagar, com uma das mãos, tenta alcançá-lo. Suas mãos estão tremendo. Quando seus dedos tocam a borda molhada de ferro, ele engole em seco, uma vez. Trava a manivela. Então enfia a mão dentro do balde.

— Felix?

Jules está chamando.

Felix não sente nada além da água dentro do balde.

Está vendo? Você está imaginando...

Então ele ouve pés molhados na grama atrás dele.

Felix solta o balde e corre.

E cai.

Levante-se.

Ao fazer isso, sai correndo.

Jules está gritando para ele. Felix grita de volta.

E cai mais uma vez.

Levante-se. Levante-se.

Ele se levanta de novo. E corre.

As mãos de Jules tocam nele.

A porta dos fundos está se abrindo. As mãos de outra pessoa tocam em Felix. Ele está do lado de dentro. Todos falam ao mesmo tempo. Don está gritando. Cheryl está gritando. Tom pede que todos se acalmem. A porta dos fundos está fechada. Olympia pergunta o que está acontecendo. Cheryl pergunta o que aconteceu. Tom pede que todos fechem os olhos. Alguém está encostando em Felix. Jules berra para que todos fiquem quietos.

Todos ficam.

Então Tom diz, baixinho:

— Don, você verificou a porta dos fundos?

— Como vou saber se verifiquei direito, porra?

— Só estou perguntando se você verificou.

— Sim. Verifiquei. Sim.

— Felix, o que aconteceu? — pergunta Tom.

Felix conta a eles. Todos os detalhes de que se lembra. No final, Tom pede que ele repita. Quer saber mais sobre o que aconteceu perto da porta dos fundos. Antes que ele entrasse. Enquanto entrava. Felix conta de novo.

— Está bem — diz Tom. — Vou abrir meus olhos.

Malorie fica tensa.

— Tudo certo — informa Tom. — Está tudo bem.

Malorie abre os olhos. No balcão da cozinha há dois baldes de água do poço. Felix está parado, vendado, ao lado da porta dos fundos. Jules está tirando a própria venda.

— Tranquem esta porta — pede Tom.

— Está trancada — diz Cheryl.

— Jules — chama Tom —, empilhe as cadeiras da sala de jantar em frente a esta porta. Depois tape a janela da sala de jantar com a mesa.

— Tom — diz Olympia —, você está me assustando.

— Don, venha comigo. Vamos bloquear a porta da frente com o aparador. Felix, Cheryl, virem o sofá da sala para esse lado. Bloqueiem uma das janelas. Vou encontrar alguma coisa para obstruir a outra.

Todos encaram Tom.

— Vamos — diz ele, impaciente. — Andem!

Quando começam a se espalhar pela casa, Malorie segura o braço de Tom.

— O que foi?

— Olympia e eu podemos ajudar. Só estamos grávidas, não aleijadas. Vamos colocar os colchões lá de cima na frente das janelas.

— Está bem. Mas façam isso vendadas. E tomem muito cuidado, mais cuidado do que jamais tomaram.

Tom sai da cozinha. Quando Malorie e Olympia passam pela sala de estar, Don já está lá, mudando o sofá de posição. No andar de cima, as duas mulheres delicadamente colocam o colchão de Malorie de pé e o apoiam no cobertor que tampa a janela. Fazem o mesmo nos quartos de Cheryl e de Olympia.

De volta ao primeiro andar, as portas e as janelas estão bloqueadas.

Os moradores da casa estão em pé na sala de estar, muito próximos uns dos outros.

— Tom, tem alguma coisa lá fora? — pergunta Olympia.

Tom faz uma pausa antes de responder. Malorie vê algo mais profundo do que medo nos olhos de Olympia. Ela também sente aquilo.

— Talvez.

Tom está olhando para as janelas.

— Mas pode ser só... um veado, não pode? Não pode ter sido só um veado?

— Talvez.

Um a um, os moradores se sentam no chão acarpetado da sala. Estão de costas uns para os outros. No meio do cômodo, com o sofá apoiado contra uma das janelas e as cadeiras da cozinha empilhadas, eles se sentam em silêncio.

Todos escutam.

quatorze

A água fria do rio respinga na calça de Malorie enquanto ela rema. Sempre que isso acontece, ela imagina uma das criaturas no rio, juntando as mãos, jogando água nela, rindo de sua tentativa de fuga. Malorie estremece.

Ela lembra que o livro sobre bebês de Olympia lhe ensinou muitas coisas. Mas havia uma frase em *Enfim... um Bebê!* que causava mais impacto:

Seu bebê é mais inteligente do que você pensa.

De início, Malorie se esforçou para aceitar isso. No novo mundo, bebês tinham que ser treinados para acordar com os olhos fechados. Tinham que ser criados com medo. Não havia espaço para coisas desconhecidas. Apesar disso, havia *sim* momentos em que o Garoto e a Menina a surpreendiam.

Certa vez, depois de tirar os brinquedos improvisados das crianças do corredor do segundo andar, Malorie foi para a sala de estar. De lá, ouviu algo se mover no quarto no fim do corredor do primeiro andar.

— Garoto? — gritou. — Menina?

Mas sabia que as crianças estavam no quarto delas. Não fazia nem uma hora que ela as havia trancado nos berços.

Malorie fechou os olhos e foi até o corredor.

Sabia o que era aquele som. Sabia exatamente a localização de cada objeto da casa. Era um livro caindo da mesa do quarto que Don e Jules dividiam.

À porta do quarto das crianças, Malorie parou. Ouviu um leve ronco vindo do cômodo.

Um novo barulho soou no quarto vazio. Malorie arquejou. O banheiro ficava a poucos metros de onde ela estava. As crianças dormiam. Se pelo menos conseguisse entrar no banheiro, poderia se defender.

De olhos fechados, com os braços erguidos em frente ao rosto, ela se moveu depressa, colidindo com a parede antes de encontrar a porta do banheiro. Lá dentro, bateu o quadril com força na pia. Tateou a parede, desesperada, e sentiu o tecido de uma toalha pendurada. Amarrou-a com força em torno dos olhos. Deu dois nós. Depois, atrás da porta aberta, encontrou o que estava procurando.

O machado do jardim.

Armada e vendada, ela saiu do banheiro. Segurando o cabo do machado com ambas as mãos, andou devagar até a porta que sabia estar sempre fechada. Mas que agora tinha sido aberta.

Ela entrou no quarto.

Levantou o machado à altura dos olhos e deu um golpe cego. A lâmina bateu na parede de madeira e Malorie gritou quando ela se partiu, soltando farpas. Ela se virou e deu outro golpe, desta vez atingindo a parede oposta.

— *Saia daqui! Deixe meus filhos em paz!*

Ofegante, ela esperou.

Por uma resposta. Um movimento. O que quer que tivesse derrubado os livros.

Então ouviu o Garoto, a seus pés, chorando.

— Garoto?

Assustada, Malorie ajoelhou-se e logo o encontrou. Retirou a toalha do rosto e abriu os olhos.

Viu que o menino segurava uma régua nas suas mãozinhas. Ao lado dele estavam os livros.

Ela o pegou e o levou de volta para o quarto. Lá, viu a tampa de arame do berço aberta. Ela o pôs no chão ao lado do berço. Então fechou a tampa e pediu que ele a abrisse. O Garoto apenas a encarou. Malorie brincou com a pequena tranca e pediu que ele mostrasse se conseguia abri-la. E ele conseguiu.

Malorie deu um tapa nele.

Enfim... um Bebê!

Ela se lembrou do livro de Olympia. Que agora pertencia a ela.

E a única frase dele que tentava ignorar voltou à sua mente.

Seu bebê é mais inteligente do que você pensa.

A frase costumava deixá-la preocupada. No entanto, hoje, no barco, usando os ouvidos das crianças como guias, ela se agarra a essa ideia e espera que os filhos estejam mais preparados que qualquer um para o que pode acontecer no rio.

Sim, Malorie espera que eles sejam mais inteligentes do que aquilo que pode aparecer mais adiante.

quinze

— Não vou beber dessa água — afirma Malorie.

Os moradores da casa estão exaustos. Dormiram amontoados no chão da sala, mas ninguém conseguiu dormir por muito tempo.

— Não podemos ficar dias sem água, Malorie — diz Tom. — Pense no bebê.

— É nele que estou pensando.

Na cozinha, sobre o balcão, os dois baldes que Felix encheu ainda não foram tocados. Um a um, os moradores da casa lambem os lábios secos. Já faz vinte e quatro horas e a probabilidade de terem que esperar mais tempo pesa na mente de todos.

Estão com sede.

— Podemos beber água do rio? — pergunta Felix.

— Bactérias — responde Don.

— Depende — diz Tom. — Do quanto a água está fria. Da profundidade. Da velocidade da correnteza.

— Mesmo assim — afirma Jules —, se alguma coisa entrou no poço, tenho certeza de que entrou no rio também.

Contaminação, pensa Malorie. É a palavra do momento.

No porão há três baldes com urina e fezes. Ninguém quer levá-los para fora. Ninguém quer sair de casa. O cheiro está forte na cozinha, só que chega mais fraco à sala de estar.

— Eu beberia água do rio — afirma Cheryl. — Eu correria esse risco.

— Você iria lá fora? — pergunta Olympia. — Pode ter alguma coisa parada bem na nossa porta!

— Não sei direito o que ouvi — retruca Felix.

Ele já repetiu isso várias vezes. Diz que se sente culpado por ter assustado todo mundo.

— Devia ser uma pessoa — opina Don. — Provavelmente alguém que queria nos roubar.

— Será que a gente precisa mesmo descobrir isso agora? — indaga Jules. — Já faz um dia. Não ouvimos nada. Vamos esperar. Mais um dia. Vamos ver se nos sentimos melhor.

— Eu beberia até direto dos baldes — afirma Cheryl. — É um poço, porra. Animais caem em poços o tempo todo. Morrem lá dentro. A gente já devia estar bebendo água com animais mortos esse tempo todo.

— A água do bairro sempre foi boa — diz Olympia.

Malorie se levanta. Vai até a porta da cozinha. A água brilha na borda do balde de madeira, cintila no de metal.

O que isso faria com a gente?, pensa.

— Você consegue se imaginar bebendo um pouquinho de uma delas? — pergunta Tom.

Malorie se vira. Tom está parado atrás dela. O ombro dele roça no dela sob o batente da porta.

— Não consigo, Tom.

— Não pediria isso a você. Mas posso pedir a mim mesmo.

Quando encara os olhos dele, Malorie percebe que o amigo está falando sério.

— Tom.

Ele se vira para observar os outros na sala.

— Vou beber dessa água — diz.

— Não precisamos de um herói — afirma Don.

— Não estou tentando ser um herói, Don. Só estou com sede.

Os moradores da casa ficam em silêncio. Malorie vê no rosto dos outros a mesma coisa que ela está sentindo. Por mais medo que tenha, *quer* que alguém beba.

— Isso é loucura — comenta Felix. — Por favor, Tom. A gente vai pensar em outra coisa.

Tom entra na sala de jantar. À mesa, olha nos olhos de Felix.

— Me tranque no porão. Vou beber lá.

— Vai enlouquecer com aquele cheiro — lembra Cheryl.

Tom sorri, melancólico.

— Temos um poço bem no nosso quintal — diz. — Se não pudermos usá-lo, não poderemos usar nada. Me deixem fazer isso.

— Sabe com quem você está parecendo? — pergunta Don.

Tom espera.

— Com George. Só que ele tinha uma teoria.

Tom olha para a mesa de jantar, que está apoiada na janela.

— Estamos aqui há meses — diz. — Se alguma coisa entrou no poço ontem, já deve ter entrado antes.

— Você está sendo racional demais — afirma Malorie.

Tom responde sem se virar para ela:

— Temos mais alguma opção? Claro, o rio. Mas podemos ficar doentes. Muito doentes. E não temos nenhum remédio. Tudo que tivemos até agora foi a água do poço. É o único remédio que temos. O que mais podemos fazer? Andar até o próximo poço? E depois? Esperar que nada tenha entrado nesse outro também?

Malorie observa enquanto, um a um, cada morador assente. A rebelião natural no rosto de Don dá lugar a um ar de preocupação. O medo nos olhos de Olympia se transforma em culpa. Já Malorie não quer que Tom faça aquilo. Pela primeira vez desde que chegou à casa, o papel de Tom, a maneira como ele se dedica a tudo que acontece ali de corpo e alma, a deixa cega.

No entanto, em vez de fazer com que Malorie o proíba, ele a inspira. E ela ajuda.

— No porão, não — diz. — E se você enlouquecesse lá embaixo e destruísse todo o estoque de comida?

Tom a encara.

— Está bem — responde. — Então no sótão.

— Aquelas janelas são muito mais altas do que as do primeiro andar.

Tom encara Malorie nos olhos.

— Vamos ficar no meio-termo — decide. — No segundo andar. Você tem que me trancar em algum local. E não tem nenhum lugar aqui embaixo.

— Pode usar o meu quarto.

— Aquele quarto — explica Don — foi o que George usou para assistir ao vídeo.

Malorie retribui o olhar de Tom.

— Eu não sabia disso.

— Vamos lá — diz ele.

Tom hesita, apenas por um instante, antes de passar por Malorie e entrar na cozinha. Ela vai atrás dele. Em fila, os moradores da casa seguem os dois. Quando Tom tira um copo do armário, Malorie segura o braço do amigo com delicadeza.

— Beba através disto — pede, entregando-lhe um filtro de café. — Sei lá. Um filtro. Quem sabe?

Tom pega o filtro. Ele a olha nos olhos. Depois mergulha o copo no balde de madeira.

Ao tirá-lo, ele o ergue. Os moradores da casa formam um semicírculo ao redor de Tom. Olham fixamente para o conteúdo do copo.

Os detalhes da história de Felix voltam a causar arrepios em Malorie.

Segurando o copo, Tom sai da cozinha. Jules pega um pedaço de corda da despensa e o segue.

Os outros não dizem nada. Malorie põe uma das mãos na barriga e a outra no balcão. Então tira a segunda rapidamente, como se tivesse acabado de encostar numa substância mortal.

Contaminação.

Mas não havia água onde ela apoiou a mão.

No andar de cima, a porta do quarto se fecha. Malorie ouve Jules amarrar a corda em torno da maçaneta e prendê-la ao corrimão da escada.

Agora Tom está trancado lá dentro.

Assim como George.

Felix anda de um lado para outro. Don se apoia na parede, os braços cruzados, olhando para o chão. Quando Jules volta, Victor vai até ele.

Ouve-se um som vindo do andar de cima. Malorie fica ofegante. Os moradores da casa olham para o teto.

Eles esperam. Escutam. Felix faz menção de subir. Então para.

— Ele já deve ter bebido — afirma Don, baixinho.

Malorie vai até a entrada da sala de estar. A três metros de distância dali, está o pé da escada.

Só há silêncio.

Então eles ouvem uma batida.

E Tom grita.

Tom grita Tom grita Tom grita Tom

Malorie já corre para a escada, mas Jules a ultrapassa.

— Fiquem aqui! — ordena ele.

Ela observa o amigo subir a escada.

— Tom!

— Jules, eu estou bem.

Ao som da voz de Tom, Malorie solta o ar. Então se apoia no corrimão para recuperar o equilíbrio.

— Você bebeu tudo? — pergunta Jules pela porta.

— Bebi. É. Estou bem.

Os outros moradores estão reunidos atrás de Malorie. Começam a falar. A princípio, baixinho. Depois, animados. No segundo andar, Jules solta a corda. Tom sai do quarto com o copo vazio na mão.

— Como foi? — pergunta Olympia.

Malorie sorri. Os outros também. É engraçado, de uma maneira sombria, perguntar como foi beber um copo de água.

— Bem — diz Tom enquanto desce a escada —, provavelmente foi o melhor copo de água que já bebi.

Quando chega ao pé da escada, ele olha Malorie nos olhos.

— Gostei da ideia do filtro — afirma.

Depois que passa por ela, Tom deixa o copo na mesa de canto, junto do telefone. Depois se vira para os outros.

— Vamos colocar os móveis de volta no lugar. Vamos arrumar tudo de novo.

dezesseis

No rio, Malorie sente o calor do sol do meio-dia. Em vez de lhe trazer paz, a luz a faz lembrar de como eles devem estar visíveis.

— Mamãe — sussurra o Garoto.

Malorie se inclina para a frente. Uma farpa do remo espeta a palma de sua mão. Já são três.

— O que foi?

— Shhh — diz o Garoto.

Malorie para de remar. Escuta.

O Garoto está certo. Alguma coisa se move na margem, à esquerda deles. Gravetos se quebram. Mais de um.

O homem daquele barco, grita a mente de Malorie, *viu alguma coisa no rio.*

Será que é ele? Será que é *ele* quem está na floresta? Será que está atrás de Malorie, esperando que ela encalhe em algum ponto do rio, pronto para arrancar a venda dela? A venda das crianças?

Mais gravetos se quebram. A coisa se move devagar. Malorie pensa na casa que abandonaram. Estavam seguros lá. Por que saíram? Será que o lugar para onde estão indo é mais seguro? Como poderia ser? Num mundo onde não podemos abrir os olhos, uma venda não é tudo que temos para nos defender?

Saímos de lá porque algumas pessoas decidem esperar as notícias chegarem e outras correm atrás delas.

Como Tom costumava dizer. Malorie sabe que nunca vai deixar de se inspirar no amigo. Pensar nele, ali, no rio, já lhe dá esperança.

Ela gostaria de dizer a ele: *Tom, suas ideias eram boas.*

— Garoto — sussurra, voltando a remar, com medo de estarem perto demais da margem esquerda. — O que você está ouvindo?

— Está perto, mamãe. — Depois: — Estou com medo.

Há um instante de silêncio. Nesse momento, Malorie imagina o perigo a apenas centímetros de distância.

Ela para de remar de novo para ouvir melhor. Estica o pescoço para a esquerda.

A parte da frente do barco atinge alguma coisa dura. Malorie berra. As crianças gritam.

Batemos na margem!

Malorie enfia um dos remos onde acha que está a lama, mas não consegue encontrá-la.

— Deixe a gente em paz! — grita ela com o rosto contorcido.

De repente, *deseja* as paredes da casa. Não há paredes nesse rio. Não há porão abaixo deles. Nem um sótão acima.

— *Mamãe!*

Quando a Menina grita por ela, alguma coisa passa pelos galhos. Alguma coisa grande.

Malorie golpeia outra vez com o remo, mas só consegue atingir a água. Ela agarra o Garoto e a Menina e os puxa para perto de si.

Então ouve um rosnado.

— Mamãe!

— *Fique quieta!* — grita ela, puxando a Menina para ainda mais perto.

Será que é o homem? Enlouquecido? Será que as criaturas rosnam? Será que fazem algum barulho?

Há um segundo rosnado e, de repente, Malorie entende o que é aquilo. Parece algo relacionado a cachorro. Canino.

Lobos.

Ela mal tem tempo de se encolher quando a garra de um lobo rasga seu ombro.

Malorie grita. Imediatamente sente o sangue quente jorrar por seu braço. A água fria balança no fundo do barco.

A urina também.

Estão sentindo o cheiro, pensa Malorie, desesperada, virando a cabeça em todas as direções e balançando o remo sem acertar nada. *Sabem que não podemos nos defender.*

Ela ouve outro rosnado baixo. É uma matilha. A ponta do barco se prendeu em alguma coisa. Malorie não consegue encostar nela com o remo. Mas o barco balança como se os lobos estivessem tentando dominá-lo.

Eles podem pular aqui! ELES PODEM PULAR AQUI! Arraste-se para a frente do barco. Você tem que soltá-lo.

Agitando o remo acima da cabeça das crianças, gritando, Malorie se levanta. O barco se inclina para a direita. Ela acha que vão virar. Equilibra--se. Os lobos rosnam. Seu ombro está quente com uma espécie de dor que ela nunca havia sentido. Com o remo nas mãos, ela o agita às cegas e com violência até a ponta do barco. Mas não consegue alcançá-la. Por isso dá um passo para a frente.

— Mamãe!

Ela cai de joelhos. O Garoto está a seu lado. Segura a camisa dela.

— Você precisa me soltar! — grita Malorie.

Alguma coisa pula na água.

Malorie vira a cabeça na direção do som.

Será que é raso aqui? Será que conseguem entrar no barco? Será que os lobos CONSEGUEM ENTRAR NO BARCO??

Virando-se rapidamente, ela se arrasta até a ponta do barco e estende o braço para a escuridão.

As crianças gritam atrás dela. Água espirra. O barco balança. Lobos uivam. E, na escuridão dos próprios olhos fechados, a mão de Malorie sente um toco de madeira.

Ela grita enquanto estende os braços. Seu ombro esquerdo dói. Ela sente o ar gelado de outubro na pele rasgada. Com a outra mão, encontra um segundo toco.

Encalhamos. É só isso! Estamos encalhados!

Quando empurra os dois tocos com força, algo bate no barco. Ela ouve garras arranhando, tentando subir.

O barco raspa na madeira. Água espirra. Malorie escuta barulhos vindo de todas as direções. Ouve mais um grunhido e sente um calor. Algo está próximo do rosto dela.

Malorie grita bem alto e empurra.

Então o barco se solta.

Virando-se rapidamente ela tropeça e cai no banco do meio.

— *Garoto!* — grita.

— Mamãe!

Então procura a Menina e percebe que ela está sentada, apoiada no banco do meio.

— Vocês dois estão bem? *Respondam!*

— Estou com medo! — diz a Menina.

— Estou bem, mamãe! — afirma o Garoto.

Malorie rema a toda velocidade. Seu ombro esquerdo, forçado a superar a exaustão, resiste. Mas ela o obriga a trabalhar.

Malorie rema. As crianças estão encolhidas aos seus pés e joelhos. A água abre caminho para o barco. Ela rema. O que mais pode fazer? *O que mais pode fazer além de remar?* Os lobos podem estar vindo atrás deles. Será que o rio é raso aqui?

Malorie rema. Parece que seu braço está pendendo do corpo. No entanto, ela rema. O lugar para onde está levando as crianças pode não existir mais. A viagem excruciante e às cegas pelo rio pode não dar em nada. Será que quando chegarem ao seu destino, ao fim do rio, estarão seguros? *E se o que ela está procurando não estiver lá?*

dezessete

— Estão com medo da gente — diz Olympia, de repente.

— Como assim? — pergunta Malorie.

As duas estão sentadas no terceiro degrau da escada.

— Os outros moradores. Têm medo das nossas barrigas. E eu sei por quê. É porque um dia vamos ter que parir esses bebês.

Malorie olha para a sala de estar. Faz dois meses que chegou àquela casa. Está grávida de cinco. Também já pensou nisso. É claro que pensou.

— Quem você acha que vai fazer o parto? — pergunta Olympia, os olhos grandes e inocentes fixados na amiga.

— Tom — responde Malorie.

— Tudo bem, mas eu me sentiria muito melhor se houvesse um médico na casa.

Esse pensamento está sempre na cabeça de Malorie. O dia inevitável em que vai dar à luz. Sem médicos. Sem remédios. Sem amigos ou parentes. Ela tenta imaginar aquilo como uma experiência rápida. Algo que vai acontecer e acabar logo. Visualiza o momento em que sua bolsa estoura, depois se imagina segurando o bebê. Não quer pensar no que vai acontecer nesse meio-tempo.

Os outros estão reunidos na sala de estar. Já terminaram as tarefas da manhã. Malorie ficou o dia todo com a sensação de que Tom está tramando algo. Ele tem andado distante. Isolado em seus pensamentos. Agora está no meio da sala, revelando uma nova ideia para os outros moradores. É exatamente o que Malorie queria que não fosse.

— Tenho um plano — diz ele.

— Ah, é? — pergunta Don.

— É. — Tom faz uma pausa, como se quisesse refletir mais uma vez sobre o que vai dizer, para ter certeza. — Precisamos de guias.

— Como assim? — pergunta Felix.

— Vou sair para procurar cachorros.

Malorie se levanta da escada e vai até a entrada da sala. A ideia de Tom sair da casa chamou sua atenção, assim como a dos outros.

— Cachorros? — pergunta Don.

— É — diz Tom. — Vira-latas. Cães de estimação. Deve haver centenas deles por aí. Soltos. Ou presos dentro de uma casa da qual não conseguem ir embora. Se vamos sair por aí para procurar comida, o que todos nós sabemos que vamos ter que fazer, gostaria que tivéssemos ajuda. Cachorros poderiam nos alertar.

— Tom, a gente não sabe como essas coisas afetam os animais — lembra Jules.

— Eu sei. Mas não podemos ficar parados.

A tensão no cômodo aumentou.

— Você é maluco — afirma Don. — Está realmente pensando em ir lá fora.

— Vamos levar armas — diz Tom.

Sentado na poltrona, Don se inclina para a frente.

— No que você está pensando exatamente?

— Tenho trabalhado na criação de capacetes — afirma Tom — para proteger nossas vendas. Vamos levar facas de carne. Os cachorros podem nos guiar. Se um deles enlouquecer, é só soltar a coleira. Se atacar você, mate o bicho com a faca.

— Sem enxergar.

— É. Sem enxergar.

— Não estou gostando disso — diz Don.

— Por que não?

— Pode haver maníacos por aí. Criminosos. As ruas estão diferentes, Tom. Não estamos mais num bairro residencial. Estamos no caos.

— Bem, alguma coisa tem que mudar — afirma Tom. — Precisamos progredir. Caso contrário, ficaremos esperando notícias em um mundo onde não há mais notícias.

Don olha para o carpete. Depois de volta para Tom.

— É perigoso demais. Não temos motivo para fazer isso.

— Temos todos os motivos para fazer isso.

— Acho melhor esperar.

— Esperar pelo quê?

— Por ajuda. Alguma coisa.

Tom olha para os cobertores que tapam as janelas.

— Ninguém vai vir ajudar, Don.

— Isso não significa que a gente deva ir lá fora procurar.

— Vamos votar — propõe Tom.

Don olha para os rostos dos outros moradores. Fica claro que está procurando alguém que concorde com ele.

— Uma votação — diz. — Também não gosto nem um pouco dessa ideia.

— Por que não? — pergunta Felix.

— Porque, Felix, não estamos decidindo quais baldes vamos usar para beber e quais vamos usar para ir ao banheiro. Estamos falando sobre um de nós ou mais saírem da casa sem um bom motivo para isso.

— Não é sem um bom motivo — retruca Tom. — Pense num cachorro como um sistema de alarme. Felix ouviu alguma coisa perto do poço duas semanas atrás. Era um animal? Um homem? Uma criatura? O cachorro certo teria latido. Estou falando de procurar no nosso quarteirão. E talvez no próximo também. Quero que nos dê doze horas. Só peço isso.

Doze horas, pensa Malorie. *Pegar água no poço só leva meia hora.*

No entanto, o número, por ser finito, a acalma.

— Realmente não entendo por que precisamos procurar vira-latas — diz Don, apontando para Victor, aos pés de Jules. — Temos um bem aqui. Vamos treiná-lo.

— De jeito nenhum — retruca Jules, levantando-se.

— Por que não?

— Não trouxe meu cachorro para que fosse sacrificado. Até a gente saber como os cães são afetados, não vou concordar com isso.

— Sacrificado — repete Don. — Boa escolha de palavra.

— A resposta é não — diz Jules.

Don se vira para Tom.

— Viu? Até o único dono de cachorro na casa é contra a sua ideia.

— Eu não disse que era contra a ideia do Tom — afirma Jules.

Don olha ao redor.

— Então todo mundo concorda com isso? É sério? Todos vocês acham que é uma boa ideia?

Olympia olha para Malorie com os olhos arregalados. Don, ao ver uma possível aliada, aproxima-se dela.

— O que você acha, Olympia? — indaga ele.

— Ah! Eu... Éééé... Eu... Não sei!

— Don — diz Tom —, vamos fazer uma votação legítima.

— Eu sou a favor — afirma Felix.

Malorie olha ao redor da sala.

— Eu também — diz Jules.

— Estou dentro — concorda Cheryl.

Tom se vira para Don. Nesse momento, Malorie sente algo dentro de si sucumbir.

A casa precisa dele, percebe ela.

— Vou com você — sugere Jules. — Se não vou deixar que usem meu cachorro, o mínimo que posso fazer é ajudar a encontrar outros.

Don balança a cabeça.

— Vocês são completamente *doidos*.

— Então vamos começar a montar um capacete para você também — diz Tom, colocando a mão no ombro de Jules.

Na manhã seguinte, Tom e Jules dão os últimos retoques no segundo capacete.

Sairão da casa hoje. Para Malorie, tudo está acontecendo rápido demais. Os moradores acabaram de votar a favor da excursão dos dois, mas será que eles precisam ir embora *já*?

Don não tenta esconder o que está sentindo. Os outros, como Malorie, sentem-se esperançosos. É difícil não ser contagiado pela energia de Tom, ela sabe disso. Se fosse Don o responsável pela saída, ela teria menos fé em vê-lo voltar com os cães-guia. Mas Tom exala certa energia. Quando diz que vai fazer alguma coisa, parece que já fez.

Malorie observa do sofá. Tanto *Grávida* quanto *Enfim... um Bebê!* falam sobre "o elo do estresse" que existe entre mãe e filho. Malorie não quer que seu bebê sinta a ansiedade que ela está sentindo agora, ao observar Tom se preparando para sair da casa.

Há duas mochilas de lona apoiadas na parede. Ambas estão cheias de alimentos enlatados, lanternas e cobertores. Ao lado delas estão facas grandes e as antigas pernas de um banco de cozinha, lixadas para se tornarem estacas afiadas. Os dois usarão os cabos de vassoura como bengalas.

— Talvez — diz Olympia — os animais não enlouqueçam porque o cérebro deles é muito pequeno.

Pela expressão de Don, parece que ele gostaria de dizer alguma coisa. Mas se contém.

— Pode ser que os animais não sejam capazes de *enlouquecer* — afirma Tom, ajustando a faixa que prende o capacete. — Talvez o indivíduo tenha que ser inteligente para perder a cabeça.

— Bem, eu gostaria de ter certeza disso antes de ir lá para fora — diz Don.

— Talvez — continua Tom — existam graus de insanidade. Não consigo parar de pensar em como as criaturas afetam pessoas que já são loucas.

— Por que não aliciamos umas dessas também? — bufa Don. — Tem certeza de que quer arriscar sua vida pela esperança de que os animais não sejam tão inteligentes quanto a gente?

Tom o encara.

— Eu gostaria de lhe dizer que tenho mais respeito pelos animais do que isso, Don. Mas, agora, tudo que me importa é sobreviver.

Por fim, Jules prende o capacete. Ele mexe a cabeça para ver se funciona. A parte de trás rasga e o capacete cai a seus pés.

Don balança a cabeça devagar.

— Droga — exclama Tom, recolhendo os pedaços. — Eu já tinha resolvido isso. Não se preocupe, Jules.

Tom cata os pedaços e os junta, então reforça a cordinha que segura o capacete com uma outra. Ele o coloca na cabeça de Jules.

— Pronto. Bem melhor.

Ao ouvir essas palavras, Malorie se sente mal. Durante toda a manhã ela sabia que Tom e Jules sairiam da casa, mas esse momento pareceu chegar rápido demais.

Não vá, quer dizer a Tom. *A gente precisa de você. Eu preciso de você.*

Mas ela entende que a casa precisa de Tom justamente por ele ser o tipo de homem que faria o que está fazendo hoje.

Próximos à parede, Felix e Cheryl ajudam Tom e Jules a prender as mochilas de lona às costas.

Tom está golpeando o ar com uma das estacas.

Malorie sente uma nova onda de náusea. Não há maneira melhor de se lembrar do horror desse novo mundo do que ver Tom e Jules se preparando daquele jeito para uma caminhada pelo quarteirão. Vendados e armados, eles parecem soldados de uma guerra encenada.

— Certo — diz Tom. — Ajudem a gente a sair.

Felix vai até a porta da frente. Os outros moradores da casa se reúnem atrás dele no hall. Malorie os observa fechar os olhos, depois faz o mesmo. Em sua escuridão particular, seu coração bate ainda mais forte.

— Boa sorte — diz de repente, sabendo que se arrependeria se não desejasse isso.

— Obrigado — agradece Tom. — Lembrem-se do que eu disse: estaremos de volta em doze horas. Estão de olhos fechados?

Todos confirmam.

Então a porta da frente se abre. Malorie consegue ouvir os sapatos pisarem na varanda. A porta se fecha.

Para Malorie, parece que algo essencial foi trancado para fora.

Doze horas.

dezoito

Enquanto o barco flutua, sendo lentamente levado pela água, Malorie pega um pouco de água do rio e lava a ferida em seu ombro.

Não é uma tarefa fácil e a dor é lancinante.

— Você está bem, mamãe? — pergunta o Garoto.

— Não façam perguntas — responde ela. — *Escutem*.

Quando o lobo a atacou, o mundo sombrio por trás da venda de Malorie entrou em uma erupção de dor, fazendo tudo ficar vermelho. Agora, enquanto limpa a ferida, ela vê tons de roxo e de cinza e teme que isso signifique que está prestes a desmaiar. Apagar. Deixar as crianças para se protegerem sozinhas.

Ela tirou a jaqueta. Sua blusa está cheia de sangue e ela estremece, perguntando-se quanto do tremor é provocado pelo ar frio e quanto é consequência da perda de sangue. Do bolso direito da jaqueta, ela tira uma faca de carne. Então corta uma das mangas da jaqueta e a amarra com firmeza em torno do ombro.

Lobos.

Quando as crianças fizeram três anos, Malorie começara a dar aulas mais complexas. Seus filhos foram educados a se lembrar de dez, vinte sons em sequência antes de revelarem o que achavam que era. Malorie andava pela casa, saía dela e em seguida subia para o segundo andar. Fazia barulhos pelo caminho. Ao voltar, as crianças lhe diziam o que ela havia feito. Em pouco tempo, a Menina passou a acertar a sequência toda. Mas o Garoto listava quarenta, cinquenta sons, acrescentando barulhos não intencionais que ela fazia no caminho.

Você começou no nosso quarto, mamãe. Suspirou antes de sair. Depois entrou na cozinha e, no caminho, seu tornozelo estalou. Você se sentou na cadeira do meio da cozinha. Pôs os cotovelos na mesa. Pigarreou e entrou no porão. Subiu os quatro primeiros degraus mais devagar do que os últimos seis. Bateu o dedo nos dentes.

No entanto, não importava quanto ela tivesse lhes ensinado, as crianças não teriam como estar preparadas para nomear os animais que andam pela floresta ao longo do rio. Malorie sabe que os lobos têm todas as vantagens possíveis. Assim como qualquer outra coisa que possam encontrar.

Ela aperta ainda mais o torniquete. Seu ombro lateja. Suas coxas doem. Seu pescoço também. De manhã, ela se sentia forte o suficiente para remar durante os trinta e dois quilômetros de viagem. Agora, ferida, precisa descansar. Discute essa questão consigo mesma. Sabe que, no velho mundo, uma pausa seria aconselhável. Mas parar ali pode significar a morte.

Um berro agudo vindo de cima faz Malorie se sobressaltar. Parece uma ave de rapina. De trinta metros de comprimento. Adiante, algo respinga água. É rápido, mas o barulho a deixa nervosa. Alguma coisa se movimenta à esquerda na floresta. Mais pássaros grasnam. O rio está ganhando vida e, a cada demonstração de vitalidade, Malorie fica mais assustada.

À medida que a vida cresce em torno do barco, ela parece diminuir dentro de Malorie.

— Estou bem — mente para as crianças. — Quero que escutem agora. Só isso. Nada mais.

Remando novamente, Malorie tenta não pensar na dor. Ela não tem uma ideia clara de quanto ainda falta. Mas sabe que é muito. Pelo menos a mesma distância que já percorreram.

Anos atrás, os moradores da casa não tinham certeza se os animais também ficavam loucos. Falavam sobre isso o tempo todo. Tom e Jules saíram para dar uma volta, procurando cachorros para guiá-los. Enquanto Malorie e os outros esperavam os companheiros voltarem, ela foi tomada por imagens terríveis de animais raivosos enlouquecidos. Os mesmos pensamentos a assombram hoje. Enquanto o rio ganha vida com a natureza, ela imagina o pior. Assim como imaginou anos atrás, antes de as crianças terem nascido, quando a inércia da porta da frente a lembrou de que a insanidade estava à espreita, independentemente do fato de que alguém que você gostava estava do lado de fora com ela.

dezenove

Com cinco meses, a gravidez de Malorie está evoluindo. É o fim dos meses de enjoo, mas um certo mal-estar ainda resiste. Ela sente azia. Suas pernas doem. Sua gengiva sangra. Seu cabelo escuro está com mais volume, assim como todos os outros pelos de seu corpo. Ela se sente monstruosa, distorcida, alterada. Mas, enquanto anda pela casa, carregando um balde de urina, nenhuma dessas coisas ocupa a mente de Malorie tanto quanto a segurança e o paradeiro de Tom e Jules.

É surpreendente, pensa ela, como já está apegada a cada um de seus colegas de casa. Antes de chegar, tinha ouvido muitas histórias de pessoas que machucavam os outros antes de ferir a si mesmas. Naquela época, os horrores preocupavam Malorie por causa do que significavam para ela e para seu filho. Agora a segurança de toda a casa a consome.

Já faz cinco horas que os dois saíram. E, a cada minuto que passa, a tensão aumenta, e Malorie não lembra se os outros moradores estão repetindo suas tarefas domésticas ou fazendo tudo pela primeira vez.

Ela deixa o balde perto da porta dos fundos. Daqui a alguns minutos, Felix vai jogá-lo do lado de fora. Agora ele está à mesa de jantar, consertando uma cadeira. Malorie passa pela cozinha e entra na sala de estar. Cheryl está limpando os móveis. Os porta-retratos. O telefone. Malorie nota que os braços da amiga estão pálidos e magros. Depois de dois meses morando ali, nota que o corpo de todo mundo piorou bastante. Eles não comem bem. Não se exercitam o suficiente. Ninguém toma sol. Tom está lá fora, buscando uma vida melhor para todos. Mas quão melhor ela pode ser?

E quem avisaria aos moradores da casa caso Tom e Jules desaparecessem lá fora para sempre?

Ansiosa, Malorie pergunta a Cheryl se ela precisa de alguma ajuda. A amiga responde que não antes de sair da sala, mas Malorie não fica sozinha. Victor está sentado atrás da poltrona, encarando os cobertores que tapam as janelas. Tem a cabeça erguida. Sua língua está para fora da boca e sua respiração, ofegante. Malorie acha que o cachorro está esperando, assim como ela, a volta do dono.

Como se percebesse que está sendo observado, Victor se vira devagar para Malorie. Depois volta a olhar para os cobertores.

Don entra na sala. Ele se senta na poltrona, então se levanta e sai do cômodo. Olympia desce a escada. Procura alguma coisa embaixo da pia da cozinha. Malorie vê quando Olympia percebe que o que procura já está em suas mãos. Ela retorna para o segundo andar. Cheryl está de volta e confere os porta-retratos. Ela acabou de fazer isso. Está fazendo de novo. Todos estão fazendo *tudo de novo*. Andando pela casa, nervosos, tentando ocupar a cabeça. Quase não falam um com o outro. Quase não desviam o olhar do chão. Pegar água no poço é uma coisa, e os moradores da casa se preocupam um com o outro quando fazem isso. Mas o que Tom e Jules estão fazendo é quase impossível de suportar.

Malorie se levanta e vai até a cozinha. Mas só há um lugar ali que se parece menos com a casa. Ela quer ir para lá. Precisa ir. Fugir.

O porão.

Felix está na cozinha, mas não presta atenção quando ela passa. Não diz uma palavra sequer quando Malorie abre a porta do porão e desce a escada até o chão de terra.

Ela puxa a cordinha e a luz se acende, iluminando o mesmo espaço que Tom lhe mostrou dois meses antes. No entanto, parece diferente agora. Há menos latas. Menos cores. E Tom não está ali, fazendo anotações, contando em porções o tempo que os moradores da casa têm antes que a fome e o desespero batam à porta.

Malorie vai até as prateleiras e lê as etiquetas, distraída.

Milho. Beterrabas. Atum. Ervilhas. Cogumelos. Frutas mistas. Vagem. Amarenas. Groselha. Toranja. Abacaxi. Feijões fritos. Mix de legumes. Chili.

Castanhas. Tomates picados. Tomates italianos. Molho de tomate. Chucrute. Feijões cozidos. Cenouras. Espinafre. Vários tipos de caldo de galinha.

Ela se lembra de se sentir sufocada ali embaixo. As latas costumavam ocupar quase uma parede inteira. Agora há buracos. Enormes. Como se uma batalha houvesse acontecido e a comida tivesse sido o primeiro alvo. Será que terão comida suficiente até o bebê chegar? Se Tom e Jules não voltarem, será que o resto da comida a manterá até o dia tão temido? O que farão exatamente quando os alimentos enlatados acabarem? Caçar?

O bebê pode tomar o leite da mãe. Mas só se a mãe tiver comido.

Acariciando a barriga, Malorie vai até o banquinho e se senta.

Apesar do ar frio do porão, ela está suando. Os passos inquietos dos moradores da casa ressoam. O teto range.

Afastando o cabelo da testa, Malorie apoia as costas nas prateleiras. Ela conta as latas. Suas pálpebras pesam. É bom descansar.

Então... ela adormece.

Quando acorda, Victor está latindo no andar de cima.

Malorie se apruma depressa.

Victor está latindo. Para o quê?

Atravessando o porão a passos rápidos, Malorie sobe a escada e corre para a sala de estar. Os outros já estão lá.

— Pare com isso! — grita Don.

Victor está olhando para as janelas, latindo.

— O que está acontecendo? — pergunta Malorie, surpresa com o pânico na própria voz.

Don grita com Victor de novo.

— Ele só está tenso sem Jules — diz Felix, nervoso.

— Não — retruca Cheryl. — Ele *ouviu* alguma coisa.

— A gente não sabe se isso é verdade, Cheryl — irrita-se Don.

O cão late de novo. Um latido alto. Agudo. Nervoso.

— Victor! — pede Don. — Por favor!

Os moradores estão reunidos, bem próximos uns dos outros, no meio da sala. Não estão armados. Se Cheryl estiver certa, se Victor acha que há algo do lado de fora da casa, o que eles podem fazer?

— *Victor!* — berra Don outra vez. — *Eu vou matar você, porra!*

Mas o cachorro não para.

E Don, por mais que grite, está com tanto medo quanto Malorie.

— Felix — começa ela, devagar, encarando a janela da frente. — Você me disse que havia um jardim no quintal. Tem alguma ferramenta aqui?

— Tem — responde Felix, também encarando os cobertores negros.

— Estão aqui dentro?

— Estão.

— Por que não vai pegá-las?

Felix se vira para ela e hesita. Então sai da sala.

Malorie repassa os objetos da casa na cabeça. Toda perna de móvel é uma arma em potencial. Todo objeto sólido, munição.

Victor continua a latir e isso só está piorando. Nos breves intervalos entre os latidos, Malorie ouve os passos ansiosos de Felix, procurando as poucas ferramentas de jardinagem que podem protegê-los do que quer que esteja do lado de fora.

vinte

É meio-dia do dia seguinte. Tom e Jules não voltaram.

As doze horas de Tom mais do que dobraram. E, com cada uma delas, as emoções dentro da casa se tornam mais sombrias.

Victor ainda está sentado ao lado da janela coberta.

Os moradores da casa ficaram acordados até tarde, reunidos, esperando o cachorro parar de latir.

Eles vão acabar nos alcançando, disse Don. *Não há por que pensar de outra forma. É o fim dos tempos, pessoal. E, se o problema for uma criatura que nossos cérebros não são capazes de entender, merecemos isso. Sempre supus que o fim viria da nossa própria estupidez.*

Por fim, Victor acabou parando de latir.

Agora, na cozinha, Malorie mergulha as mãos num balde de água. Don e Cheryl foram até o poço de manhã. Toda vez que batiam na porta para entregar outro balde a Felix, o coração de Malorie disparava, esperando, *acreditando* que fosse Tom.

Ela leva a água ao rosto e passa os dedos molhados pelo cabelo suado e embaraçado.

— *Droga* — diz.

Está sozinha na cozinha. Encara os panos que cobrem a única janela do cômodo e pensa em todas as inúmeras coisas horríveis que podem ter acontecido.

Jules matou Tom. Ele viu uma criatura e arrastou Tom até o rio pelos cabelos. Ele o manteve debaixo d'água até Tom se afogar. Ou ambos viram alguma coisa. Numa casa. Destruíram um ao outro. Seus corpos arruinados estão na sala de um estranho. Ou só Tom viu alguma coisa. Jules tentou impedi-lo, mas ele fugiu. Está em algum lugar na floresta. Comendo insetos. Casca de árvore. A própria língua.

— Malorie?

Ela leva um susto quando Olympia entra na cozinha.

— O que foi?

— Estou muito preocupada, Malorie. Ele disse doze horas.

— Eu sei — responde a amiga. — Todos nós estamos.

Ela estende a mão para encostar no ombro de Olympia e ouve a voz de Don vindo da sala de jantar.

— Não tenho certeza se a gente deveria deixar os dois entrarem de volta.

Malorie vai imediatamente para lá.

— Fala sério, Don — diz Felix, já na sala. — Como pode falar uma coisa dessas?

— O que você acha que está acontecendo lá fora, Felix? Acha que estamos morando num bairro tranquilo? Se houver alguém com vida lá fora, a pessoa não está sobrevivendo com bons modos, cara. Quem sabe se Tom e Jules não foram sequestrados? Talvez sejam reféns agora. E seus sequestradores podem estar querendo saber sobre a nossa comida, porra. *A nossa comida.*

— Vá à merda, Don — exclama Felix. — Se eles voltarem, eu vou deixá-los entrar.

— *Se* forem eles — questiona Don. — E se tivermos certeza de que não tem ninguém apontando uma arma para a cabeça de Tom do outro lado da porta.

— *Calem a boca* vocês dois! — pede Cheryl, passando por Malorie e entrando na sala de jantar.

— Você não pode estar falando sério, Don — diz Malorie.

Ele se vira para ela.

— Pode ter certeza de que estou.

— Você não quer deixar os dois *entrarem de volta*? — pergunta Olympia, parada ao lado de Malorie.

— Eu não disse *isso* — retruca Don. — Só estou dizendo que pode haver pessoas cruéis lá fora. Consegue entender, Olympia? Ou é complicado demais para você?

— Porra, você é um babaca — diz Malorie.

Por um segundo, parece que Don vai atacá-la.

— Não quero ter essa discussão — afirma Cheryl.

— Já se passaram mais de vinte e quatro horas — responde Don, em tom de repreensão.

— Cara... vá fazer alguma outra coisa, por favor — pede Felix. — Só está piorando a situação para todo mundo.

— Temos que começar a considerar um futuro sem eles.

— Só faz *um dia* — lembra Felix.

— É, um dia *lá fora*.

Don se senta ao piano. Por um instante, parece que vai deixar a discussão para lá. Mas então continua:

— A boa notícia é que nosso estoque de comida vai durar mais.

— *Don!* — Malorie se irrita.

— Você vai ter um *bebê*, Malorie. Não quer sobreviver?

— Don, eu poderia matar você — diz Cheryl.

Ele se levanta do banco do piano. Seu rosto está vermelho de raiva.

— Tom e Jules não vão voltar, Cheryl. Aceite isso. E, quando você sobreviver mais uma semana porque pôde comer a comida *deles* e puder comer Victor também, *então* talvez entenda que coisas como esperança não existem mais.

Cheryl se aproxima dele, com os punhos cerrados. Seu rosto está a centímetros do de Don.

Victor late na sala de estar.

Felix se coloca entre Don e Cheryl. Don o empurra. Quando Malorie entra no meio dos dois, Felix ergue a mão.

Ele vai bater em Don.

Felix baixa o punho.

Há uma batida na porta da frente.

vinte e um

Malorie está pensando especificamente em Don.

— Mamãe — diz o Garoto —, a venda está me machucando.

— Pegue um pouco de água do rio com cuidado — sugere Malorie — e esfregue onde está doendo. *Não* tire a venda.

Certa vez, depois que os moradores da casa terminaram de jantar, Malorie ficou sozinha à mesa com Olympia. Conversavam sobre o marido de Olympia. Sobre como ele era, como queria ter um filho. Don entrou na sala sozinho. Não se importou com o que Olympia dizia.

— Vocês devem cegar os bebês — disse. — No instante em que nascerem.

Parecia que ele tinha pensado naquilo por muito tempo e decidido contar a decisão a elas.

Ele se sentou com as duas à mesa e se justificou. Enquanto Don falava, Olympia ia ficando mais distante. Achou que era maluquice. E, pior, considerou uma *crueldade*.

No entanto, Malorie não pensou o mesmo. No fundo, entendia o que Don queria dizer. Cada momento do seu futuro papel de mãe seria centrado em proteger os olhos do filho. Quanto mais poderia ser feito se aquela preocupação tivesse um fim? A seriedade que Don manteve ao dizer aquilo transmitia algo mais do que crueldade para Malorie. Isso abria a porta para todo um reino de possibilidades assustadoras, coisas que talvez tivessem de ser feitas, decisões que ela talvez precisasse tomar, mas que ninguém do velho mundo poderia estar realmente preparado para suportar. E a sugestão, por mais horrível que fosse, nunca desapareceu por completo da mente dela.

— Melhorou, mamãe — diz o Garoto.

— Shhhh — pede Malorie. — *Escute.*

Quando as crianças tinham seis meses, ela já as havia colocado para dormir nos berços cobertos por grades. Era noite. O mundo fora das janelas e das paredes estava quieto. A casa estava escura.

Nos primeiros dias com os bebês, Malorie costumava ouvi-los respirar enquanto dormiam. O que seria uma apreciação emocionante para algumas mães, para Malorie, era uma análise. Pareciam saudáveis? Conseguiam obter nutrientes suficientes da água do poço e do leite de uma mãe que não comia uma refeição decente havia um ano? A saúde deles sempre esteve nos seus pensamentos. A dieta. A higiene. E os olhos deles.

Vocês devem cegar os bebês no instante em que nascerem.

Sentada à mesa da cozinha, no escuro, Malorie percebia com clareza que aquela ideia não era um dilema moral. Era apenas um desafio que ela não tinha certeza de que seria capaz de realizar na prática. Olhando para o corredor, ouvindo a breve respiração dos bebês, ela achava que a ideia de Don não era ruim.

Quando acordam, cada instante é gasto evitando que os dois olhem para fora. Você confere os cobertores. Os berços. E eles nem vão se lembrar desses dias quando forem mais velhos. Não vão se lembrar da visão.

As crianças, sabia ela, não seriam privadas de nada no novo mundo se, desde o começo, não fossem capazes de vê-lo.

Levantando-se, ela foi até a porta do porão. Lá embaixo, no chão de terra, havia uma lata de solvente para tinta. Ela havia lido o rótulo lateral muito tempo antes e sabia que havia risco caso a substância entrasse em contato com os olhos. A embalagem dizia que uma pessoa poderia ficar cega se não lavasse os olhos em trinta segundos.

Malorie foi até lá. Pegou a alça e levou a lata para cima.

Seja rápida. E não enxague.

Eles eram só bebês. Será que poderiam se lembrar disso? Sentiriam medo da mãe para sempre ou, um dia, aquilo seria enterrado sob uma montanha de lembranças cegas?

Malorie atravessou a cozinha e entrou no corredor escuro que levava ao quarto das crianças.

Podia ouvi-las respirando lá dentro.

Parou à porta e olhou para a escuridão em que dormiam.

Naquele instante, acreditou que seria capaz de fazer aquilo.

Em silêncio, Malorie entrou no quarto. Pôs a lata no chão e retirou o pano que cobria os berços protegidos. Nenhum dos dois bebês se mexeu. Ambos continuaram respirando de forma regular, como se estivessem tendo sonhos agradáveis, o mais longe possível dos pesadelos que se aproximavam deles.

Depressa, Malorie abriu a grade acima do berço da Menina. Inclinou-se e ergueu a lata.

A Menina respirava, regularmente.

Malorie estendeu a mão e ergueu a cabeça da Menina. Tirou a venda dela. A Menina começou a chorar.

Os olhos dela estão abertos, pensou Malorie. *Jogue.*

Ela forçou a cabeça da Menina a se aproximar da beirada do berço, depois levou a lata de solvente aberta a centímetros do rosto vermelho e choroso. O Garoto acordou atrás dela e também começou a chorar.

— Parem! — disse Malorie, lutando contra as próprias lágrimas. — Vocês não querem ver esse mundo.

Ela inclinou mais um pouco a lata e sentiu o conteúdo escorrer pela própria mão antes de respingar no chão, aos pés dela.

Sentir o produto na pele tornou tudo mais real.

Ela não seria capaz de fazer aquilo.

Malorie soltou a cabeça da Menina, que continuou a chorar.

Colocou a lata no chão e saiu devagar do quarto. As crianças choravam desesperadamente na escuridão.

No corredor, Malorie se encostou na parede, em busca de apoio, e levou a mão à boca. Então vomitou.

— Mamãe! — diz o Garoto agora, no rio. — Funcionou!

— *O que funcionou?* — pergunta Malorie, tendo sido arrancada das lembranças.

— A venda não dói mais.

— Garoto — diz ela. — Chega de conversa. A não ser que você ouça alguma coisa.

Malorie respira fundo e sente algo parecido com vergonha. A dor no ombro piorou. Está zonza de cansaço. Uma sensação mais profunda de desorientação toma conta dela. Parece que há algo de muito errado em seu corpo. No entanto, ainda consegue ouvir as crianças: o Garoto respirando à sua frente, a Menina mexendo nas peças do quebra-cabeça no fundo do barco. Não estão cegos sob as vendas. E o dia de hoje pode terminar com a possibilidade de um mundo novo, onde as crianças verão coisas que nunca viram.

Se ela conseguir levá-las até lá.

vinte e dois

Malorie ouve algo se movimentar do outro lado da porta. Escuta também uma respiração ofegante. Algo está arranhando a madeira. Ela e os outros estão no hall. Felix acabou de gritar, perguntando quem era. No meio-tempo entre a pergunta e a resposta, parece que os arranhões podem estar sendo provocados por qualquer coisa.

Criaturas, pensa ela.

No entanto, não são as criaturas que estão à porta. São Tom e Jules.

— Felix! É Tom!

— Tom!

— Não tiramos os capacetes. Mas não estamos sozinhos. Encontramos cachorros.

Felix, suando, exala longamente. Para Malorie, o alívio é tão grande que dói.

Victor está latindo. Seu rabo balança. Jules grita para ele.

— Victor, amigão! Voltei!

— Muito bem — diz Felix para os outros moradores. — Fechem os olhos.

— Espere — pede Don.

— O quê? — pergunta Felix.

— Como vamos saber se estão sozinhos? Como vamos saber que não foram seguidos? Quem sabe *o que* pode ter entrado com eles aqui?

Felix faz uma pausa. Então grita para Tom:

— Tom! Vocês estão sozinhos? São só vocês dois e os cachorros?

— Sim.

— Não significa que seja verdade — lembra Don.

— Don — afirma Malorie, impaciente —, se alguém quisesse invadir esta casa, poderia fazer isso a qualquer momento.

— Só estou sendo cuidadoso, Malorie.

— Eu sei.

— Também moro aqui.

— Eu sei. Mas Tom e Jules estão do outro lado da porta. Eles conseguiram voltar. Temos que deixar os dois entrarem agora.

Don a encara de volta. Depois olha para o chão do hall.

— Vocês vão matar a gente um dia — diz.

— Don — avisa Malorie, percebendo que ele está, enfim, cedendo. — Vamos abrir a porta agora.

— É. Eu sei. Não importa que merda eu diga.

Don fecha os olhos.

Malorie faz o mesmo.

— Está pronto, Tom? — grita Felix.

— Estou.

Malorie ouve a porta da frente abrir. O som de patas no piso de cerâmica do hall faz parecer que muitas pessoas entraram ao mesmo tempo.

A porta da frente se fecha depressa.

— Alguém me dê uma vassoura — pede Felix.

Malorie ouve as cerdas da vassoura rasparem nas paredes, no chão e no teto.

— Tudo bem — diz Felix. — Estamos prontos.

O instante entre decidir abrir os olhos e fazer isso de fato é a coisa mais assustadora desse mundo novo.

Malorie abre os olhos.

O hall é uma explosão de cores. Dois huskies se movimentam com rapidez, farejando o chão, analisando as novas pessoas, analisando Victor.

A alegria que Malorie sente ao ver o rosto de Tom é avassaladora. No entanto, ele não está com uma aparência muito boa. Parece exausto. Sujo. Como se tivesse passado por uma experiência que Malorie pode apenas imaginar.

Ele está segurando algo. É branco. Uma caixa. Grande o bastante para que coubesse uma TV pequena. Sons saem de dentro dela. Arrulhos.

Olympia se adianta e abraça Tom, que ri enquanto tenta tirar o capacete. Jules já retirou o dele e se ajoelha para abraçar Victor. Cheryl está chorando.

A expressão de Don é uma mistura de surpresa e vergonha.

Nós quase brigamos feio, pensa Malorie. *Tom ficou um dia e meio fora e a gente quase brigou feio.*

— Ai, meu *Deus*! — exclama Felix, os olhos arregalados voltados para os novos animais. — Funcionou!

Os olhares de Tom e de Malorie se encontram. Ele já não tem mais aquele brilho de antes.

O que os dois enfrentaram lá fora?

— Estes são os huskies — diz Jules, agitando a mão na direção dos cães. — São amistosos. Mas demora um minutinho até se acostumarem.

Então, de repente, Jules solta um urro de alívio.

Como veteranos de guerra que voltam para casa, pensa Malorie. *De um passeio pelo quarteirão.*

— O que tem na caixa? — pergunta Cheryl.

Tom a ergue ainda mais. Seus olhos estão vidrados. Distantes.

— Nesta *caixa*, Cheryl — diz ele, segurando-a com uma das mãos e levantando a tampa com a outra —, há pássaros.

Os moradores da casa reúnem-se em torno da caixa.

— Que tipo de pássaros? — pergunta Olympia.

Tom balança a cabeça devagar.

— Não sabemos. Nós os encontramos na garagem de um caçador. Não fazemos nenhuma ideia de como sobreviveram. Achamos que os donos deixaram muita comida para eles. Como podem ver, fazem muito barulho. Mas só quando estamos perto deles. Nós testamos isso. Sempre que nos aproximávamos da caixa, eles faziam mais barulho.

— Então esse é o jantar? — pergunta Felix.

Tom abre um sorriso cansado.

— É um sistema de alarme.

— Um sistema de alarme? — pergunta Felix.

— Vamos pendurar a caixa lá fora — explica Jules. — Perto da porta da frente. Poderemos ouvir os pássaros daqui.

É só uma caixa com pássaros, pensa Malorie. No entanto, parece *mesmo* um avanço.

Tom fecha a tampa devagar.

— Vocês têm que nos contar tudo que aconteceu — pede Cheryl.

— Contaremos — diz Tom. — Mas vamos até a sala de jantar. Nós dois adoraríamos nos sentar por um instante.

Os moradores da casa sorriem.

Todos, menos Don.

Don, que havia declarado os dois como mortos. Don, que já estava reivindicando para si a comida deles.

No corredor, Tom coloca a caixa de pássaros no chão, encostada na parede. Então os moradores se reúnem na sala de jantar. Felix pega um pouco de água para Tom e Jules. Com os copos à sua frente, os dois contam o que vivenciaram lá fora.

vinte e três

No instante em que a porta se fecha, Tom sente mais medo do que achou que sentiria.

Ali do lado de fora, as criaturas estão mais perto.

Quando chegarmos à rua, pensa Tom, *e estivermos a uma boa distância da casa, será que vão nos atacar?*

Ele imagina mãos frias se fechando sobre as dele. A própria garganta cortada. O pescoço quebrado. A mente destruída.

Entretanto, Tom sabe muito bem que nenhuma das notícias descrevia um homem sendo atacado.

É *assim* que você tem que pensar, decide ele, ainda parado na varanda. Forçando aquele pensamento para dentro da mente, vasculhando o solo para descobrir suas raízes, Tom se permite respirar, lentamente. E, ao fazer isso, outros sentimentos surgem.

Primeiro, há a sensação de liberdade, desenfreada e um pouco irresponsável.

Tom *já saiu* da casa desde que se mudou para lá. Foi buscar água no poço como os outros. Carregou urina e fezes até as valas. Mas dessa vez é diferente. O *ar* parece diferente. Pouco antes de ele e Jules concordarem em começar a andar, sentem uma brisa. Ela passa por seu pescoço. Pelos cotovelos. Pelos lábios. É uma das sensações mais estranhas que já teve. Aquilo o acalma. Apesar de imaginar as criaturas à espreita, atrás de cada árvore e de cada placa, o ar límpido e fresco o arrebata.

Apenas por um instante.

— Está pronto, Jules? — pergunta.

— Estou.

Como homens de fato cegos, ambos tateiam o chão diante deles com as vassouras. Saem da varanda. Um metro à frente, Tom já sente que não está mais andando sobre o concreto. Com o gramado sob os pés, parece que a casa desapareceu. Ele está *perdido*. Vulnerável. Por um segundo, duvida que seja capaz de fazer isso.

Então pensa na filha.

Robin. Só vou buscar uns cachorros.

Isso é bom. Isso o ajuda.

A vassoura passa por cima do que deve ser o meio-fio e Tom pisa no concreto da rua. Ele para e se ajoelha. De joelhos, procura um dos cantos do jardim. Ele o encontra. Depois retira uma pequena estaca de madeira da mochila e a enfia na terra.

— Jules — diz —, marquei nosso gramado. Talvez a gente precise de ajuda para encontrar o caminho de volta.

Quando se levanta e se vira, Tom bate com força no capô de um carro.

— Tom — chama Jules. — Você está bem?

Tom se equilibra.

— Estou — responde. — Acho que acabei de bater no jipe da Cheryl. Senti a porta de madeira.

O som das botas e da vassoura de Jules guia Tom para longe do carro.

Em circunstâncias diferentes, com os raios do sol batendo direto em suas pálpebras, sem venda nem capacete para obscurecê-las, Tom sabe que veria um mundo de cores avermelhadas. Seus olhos fechados notariam os tons mudarem de acordo com as nuvens e com as sombras da copa das árvores e telhados. Mas hoje ele vê apenas a cor negra. E, em algum lugar da escuridão, imagina Robin, sua filha. Pequena, inocente, brilhante. Ela o incentiva a andar, *ande, papai*, para mais longe da casa, na direção de coisas que podem ajudar os que estão lá dentro.

— Merda! — exclama Jules.

Tom o ouve cair na rua.

— *Jules!* — chama Tom, paralisado. — Jules, o que aconteceu?

— Tropecei em alguma coisa. Está sentindo? Parecia uma mala.

Com a vassoura, Tom traça um amplo arco. As cerdas encontram um objeto. Tom se arrasta até ele. Pousando a vassoura a seu lado no asfalto quente, usa as mãos para sentir o que está ali, no meio da rua. Não demora muito para descobrir o que é.

— É um corpo, Jules.

Tom ouve o amigo se levantando.

— Acho que é uma mulher — diz Tom.

Então tira depressa as mãos do rosto dela.

Ele se levanta e os dois continuam.

Tudo parece acelerado demais. As coisas já estão acontecendo com muita rapidez. No velho mundo, encontrar um cadáver na rua exigiria horas para ser assimilado.

No entanto, eles seguem em frente.

Cruzam um gramado até alcançarem alguns arbustos. Atrás desses arbustos há uma casa.

— Aqui — informa Jules. — Tem uma janela. Estou tocando o vidro de uma janela.

Seguindo a voz do amigo, Tom se junta a Jules na janela. Eles tateiam os tijolos da casa até chegarem à porta da frente. Jules bate. Grita, chamando por alguém. Bate de novo. Os dois esperam. Tom fala. Teme que, naquele mundo silencioso, sua voz possa atrair alguma coisa. Mas não vê outra opção. Explica aos possíveis habitantes daquela casa que não querem ferir ninguém, que estão ali procurando mais suprimentos, qualquer coisa que possa ajudar. Jules volta a bater. Eles ficam esperando mais uma vez. Não há movimento algum dentro da casa.

— Vamos entrar — diz Jules.

— Tudo bem.

Eles andam de volta até a janela. De dentro da mochila de lona, Tom tira uma pequena toalha. Ele a amarra em torno do punho. Então soca o vidro, quebrando-o. Não encontra cobertor algum. Nem papelão. Nem madeira. Ele sabe que isso significa que quem quer que morasse ali vivia sem proteção.

Talvez tenham deixado a cidade antes de a situação se agravar. Talvez estejam seguros em outro lugar.

Tom grita para dentro da casa através da janela quebrada.

— Tem alguém aí?

Sem obter resposta, Jules remove o vidro da janela. Depois ajuda Tom a se arrastar para dentro. Na casa, Tom derruba algum objeto, que cai com uma batida forte. Jules entra atrás dele pela janela.

Então os dois ouvem música, um piano, no mesmo cômodo em que estão.

Tom ergue a vassoura para se defender. Mas Jules fala com ele.

— Fui eu, Tom! — confessa. — Desculpe, minha vassoura bateu no piano.

Tom está ofegante. Ambos ficam em silêncio enquanto ele se acalma.

— Não podemos abrir os olhos aqui — informa Jules, baixinho.

— Eu sei — diz Tom. — A brisa está atravessando a sala. Tem outra janela aberta.

Ele gostaria tanto de poder abrir os olhos. Mas a casa não é segura.

— Mesmo assim, já estamos aqui — lembra Tom. — Vamos levar o que pudermos.

Mas a maior parte do primeiro andar não tem nada de útil. Na cozinha, eles vasculham os armários. Tom tateia uma prateleira até encontrar pilhas. Velas pequenas. Canetas. Enquanto guarda os objetos na mochila, anuncia cada um deles para Jules.

— Vamos para outro lugar — diz Tom.

— E o segundo andar?

— Não gosto daqui. E, se tivesse alguma comida, estaria aqui embaixo.

Com a ajuda das vassouras, os dois encontram o caminho até a porta da frente, a destrancam e saem de novo. Não voltam à rua. Em vez disso, cruzam o gramado até a casa vizinha, do lado oposto, distante de onde moram.

Nessa outra varanda, realizam o mesmo ritual. Batem. Informam quem são. Esperam. Quando não escutam nenhum movimento do lado de dentro, quebram a janela. Dessa vez, é Jules quem faz isso.

Seu punho entra em contato com algum tipo de proteção frágil. Ele acha que é papelão.

— Pode ter alguém aqui dentro — sussurra.

Esperam alguma resposta para o barulho que fizeram. Não há nenhuma. Tom grita. Diz à casa que são vizinhos. Que estão procurando animais e que podem em troca oferecer abrigo. Não há qualquer resposta. Jules tira os cacos de vidro e ajuda Tom a passar pela janela.

Lá dentro, recolocam o papelão no lugar.

Com as vassouras, vasculham a casa durante horas. Andando com as costas encostadas uma na outra, os dois movimentam as vassouras descrevendo arcos. Tom vai na frente, indicando o caminho a Jules. Quando terminam, quando ficam convencidos de que a casa está vazia, de que as janelas estão cobertas e que todas as portas, trancadas, Tom declara que o local é seguro.

Ambos sabem o que deve acontecer em seguida.

Vão retirar o capacete e a venda e abrir os olhos. Nenhum deles vê há meses nada além do interior da casa em que vivem.

Jules é o primeiro. Tom o ouve soltar o capacete. Então faz o mesmo. Depois de erguer a venda até a testa, Tom se vira, de olhos fechados, de frente para Jules.

— Pronto?

— Pronto.

Os dois homens abrem os olhos.

Uma vez, quando era criança, Tom e um amigo entraram na casa de um vizinho pela porta dos fundos, que estava destrancada. Não tinham um plano, um objetivo. Só queriam ver se eram capazes de fazer aquilo. Mas se deram mal, pois, ao se esconderem na despensa, tiveram que esperar a família toda acabar de jantar. Quando finalmente conseguiram sair, o amigo perguntou a ele como se sentia.

— Sujo — respondeu Tom, na época.

De olhos abertos agora, na casa de um estranho, ele se sente do mesmo jeito.

Esta não é a casa deles. Mas estão nela. Não são as coisas deles. Mas poderiam ser. Uma família morou ali. Havia uma criança. Tom reconhece alguns brinquedos. Uma foto revela que era um menino. O cabelo claro e o sorriso jovem fazem Tom se lembrar de Robin. De certa forma, tudo que viu desde a morte da filha faz Tom se lembrar dela. E estar ali, na casa de um estranho, o faz imaginar a maneira como viviam. A criança contando aos pais o que aprendeu na escola. O pai lendo sobre os primeiros incidentes no jornal. A mãe chamando o filho para dentro. Todos eles, reunidos no sofá, assistindo ao telejornal, assustados, enquanto o pai estica o braço por cima do filho e segura a mão da esposa.

Robin.

Não há qualquer vestígio de um animal de estimação. Nenhum brinquedo mastigado esquecido. Nenhuma caminha de gato. Nem cheiro de cachorro. Mas é sobre a ausência de pessoas que Tom está pensando.

— Tom — diz Jules —, vá conferir lá em cima. Vou continuar aqui embaixo.

— Está bem.

Ao pé da escada, Tom ergue o olhar. Tira a venda do bolso e a amarra sobre os olhos de novo. Apesar de terem conferido a casa toda, ele não consegue se forçar a subir a escada de olhos abertos.

Será que conferiram direito?

Ao subir, ele usa a vassoura para guiá-lo. Seu ombro esbarra em fotos penduradas. Ele pensa na foto de George, pendurada na parede de casa. A ponta da sua bota bate num degrau e ele tropeça. Sente o carpete com as mãos. Ele se levanta. Mais degraus. Tantos que parece impossível, como se já tivesse subido até o telhado da casa.

Por fim, as cerdas da vassoura o avisam que ele chegou ao topo. Mas a mente de Tom está distraída e ele tropeça de novo, desta vez em direção a uma parede. O segundo andar está silencioso. Ele se ajoelha e deixa o cabo de vassoura ao lado. Então pega a mochila e a abre, procurando a lanterna. Encontra-a. Voltando a se levantar, usa a vassoura para guiá-lo. Ao se virar para a direita, seu pulso bate em algo frio e duro. Ele para e tateia a coisa. É vidro, pensa. Um vaso. Sente um cheiro ruim. Não o havia sentido até então. Suas mãos alcançam um amontoado de folhas mortas e apodrecidas. Tateia os caules devagar e percebe que são flores. Talvez rosas. Mortas há muito tempo. Ele se vira para a esquerda de novo. Tom sente o cheiro das rosas mortas desvanecer quando se depara com algo muito mais forte.

Ele para no corredor. Como Jules e ele não haviam sentido aquele cheiro?

— Olá?

Não há resposta. Tom cobre o nariz e a boca com a mão livre. O fedor é horrível. Ele continua pelo corredor. Ao encontrar uma porta à direita, entra num cômodo. É um banheiro. As cerdas da vassoura ecoam no azulejo. Há o cheiro úmido e mofado dos canos sem uso. Ele mexe na cortina do chuveiro e confere a banheira com a vassoura. Então encontra o armário de remédios. Há frascos de comprimidos. Tom os guarda no bolso. Ajoelha-se e vasculha os armários embaixo da pia. Ouve algo atrás de si e se vira.

Tom está de frente para a banheira.

Você acabou de conferir aí. Não havia nada.

Uma de suas mãos está no balcão às suas costas. A outra ergue lentamente a vassoura. Ele a segura à sua frente, vendado.

— Tem alguém aqui comigo?

Tom dá um passo à frente, na direção da banheira.

Balança a vassoura uma vez. E de novo.

Sente o estômago revirar. Quente. O cheiro.

Tom dá um pulo para a frente e agita a vassoura com violência sobre a banheira. Confere o teto acima dela. Depois, voltando a se afastar, deixa a vassoura cair no chão do banheiro. Ela bate em alguma coisa e faz o mesmo barulho que ele ouviu ao se ajoelhar diante do armário.

Tom logo percebe que é uma garrafa de plástico. Está vazia.

Ele suspira.

Então sai do banheiro e continua a andar pelo corredor. Logo encontra outra porta. Está fechada. Ele consegue ouvir Jules se movendo ligeiramente no primeiro andar. Tom respira fundo e abre a porta. Está frio ali. A vassoura sugere que há algo à sua frente. Ele tateia e encontra um colchão. É uma cama pequena. Sem abrir os olhos, sabe que é o quarto do menino. Fecha a porta, vasculha o quarto inteiro com a vassoura, então acende a luz.

Em seguida, tira a venda e abre os olhos.

Há bandeiras penduradas na parede. De times esportivos locais. Uma do zoológico. A colcha exibe carros de Fórmula 1. Está abafado ali. Abandonado. Como há eletricidade, ele guarda a lanterna de volta na mochila. Faz uma busca rápida e percebe que não há nada de realmente útil. Ele pensa no quarto de Robin.

Depois, fecha os olhos de novo e sai.

Logo adiante, o cheiro fica ainda mais horrível. Não consegue deixar a boca descoberta. No fim do corredor, encontra uma parede. Ao se virar, a vassoura bate numa porta atrás dele. Tom fica paralisado enquanto a porta se abre devagar.

Você e Jules conferiram esse quarto? CONFERIRAM?!

— Olá?

Nenhuma resposta. Tom entra devagar. Acende as luzes e procura janelas nas paredes. Encontra duas. Ambas estão muito bem protegidas com tábuas de madeira. O quarto é grande.

É a suíte principal.

Ele atravessa o quarto. O cheiro está tão forte ali que parece concreto, como se Tom pudesse tocá-lo. A vassoura o leva até o que parece ser um closet. Roupas. Casacos. Considera levar aquilo com ele. Pensa no inverno que logo enfrentarão.

Virando-se, descobre outra porta, menor. Um segundo banheiro. Mais uma vez, confere o armário de remédios e as gavetas. Mais frascos de remédio. Pasta de dente. Escovas de dente. Ele procura uma janela. Encontra. Coberta com tábuas de madeira. Usa a vassoura para guiá-lo para fora do banheiro. Fecha a porta atrás de si.

Certo de que conferiu as janelas, certo de que está seguro, Tom, parado ao lado do closet, abre os olhos.

Uma criança está sentada na cama, olhando para ele.

Tom fecha os olhos.

Será que as criaturas são assim?

Vocês não estavam seguros! NÃO ESTAVAM SEGUROS!

Seu coração está retumbando no peito. O que ele viu? Era um rosto. Um rosto velho? Não, era jovem. Jovem? Mas arruinado. Quer chamar Jules.

No entanto, quanto mais seus olhos permanecem fechados, mais clara fica a imagem.

Era o menino. Das fotos do primeiro andar.

Ele volta a abrir os olhos.

O menino usa um terno. Encostado em uma cabeceira escura, o rosto está virado de forma artificial para Tom. Tem os olhos abertos. A boca escancarada. As mãos estão unidas no colo.

Você morreu de fome aqui, pensa Tom. *No quarto dos seus pais.*

Dando um passo para a frente, com a boca e o nariz tapados, Tom o compara às fotos. Aquele menino ali parece mumificado. Como se tivesse encolhido.

Há quanto tempo você morreu? Quão perto estive de salvar você?

Ele encara os olhos sem vida do menino.

Robin, pensa. *Sinto muito.*

— Tom! — berra Jules do andar de baixo.

Ele se vira.

Atravessa o quarto e entra no corredor.

— Jules! Está tudo bem?

— Está! Está! Venha rápido! Encontrei um cachorro.

Tom está dividido. Como pai, não quer abandonar o menino. Robin jaz num túmulo atrás da casa que ele abandonou muito tempo atrás.

— Se eu soubesse que você estava aqui — diz Tom, virando-se para a suíte principal —, teria vindo antes.

Então ele se vira e corre para a escada.

Jules achou um cachorro.

Encontra o amigo no primeiro andar. Antes que consiga lhe contar sobre o menino, Jules já está andando pela cozinha, falando sobre o que descobriu. No topo da escada que leva ao porão, Jules aponta e pede que Tom observe. De perto.

Ao pé da escada, deitados de costas, estão os pais. Vestidos como se fossem para a igreja. As roupas estão rasgadas nos ombros. Sobre o peito da mãe há um pedaço de folha de caderno. Com um hidrocor, alguém escreveu: DeScanSSE EM Pas.

— Acabei de encontrar o menino que escreveu isso — informa Tom. — O menino que pôs os dois aí.

— Devem ter morrido de fome — diz Jules. — Não tem comida aqui. Não tenho ideia do que *ele* comeu para sobreviver.

Jules aponta para o fundo do porão. Tom se agacha e vê um husky encolhido entre casacos de pele pendurados em uma arara.

O cão está muito magro. Tom imagina que tenha se alimentado dos pais mortos.

Jules tira um pouco de carne da mochila de lona, arranca um pedaço e joga para o cachorro. De início, o animal se aproxima devagar. Então o devora.

— Será que é manso? — pergunta Tom, baixinho.

— Descobri — responde Jules — que um cachorro rapidamente se torna amigo das pessoas que o alimentam.

Com cuidado, Jules joga mais carne escada abaixo. Fala com o cão, incentivando-o.

Mas o cachorro exige certo esforço. E *tempo*.

Os dois homens passam o resto do dia na casa. Com a ajuda da carne, Jules está criando um vínculo. Nesse meio-tempo, Tom vasculha os mesmos lugares que Jules já verificou. Há poucas coisas que eles já não tenham em casa. Não encontra uma lista telefônica. Nem comida.

Jules, por conhecer cães muito melhor do que Tom, diz que eles não estão prontos para ir embora. Que o cachorro está muito arisco, ainda não confia nele.

Tom pensa nas doze horas que deu aos moradores da casa. Parece que o tempo está passando rápido.

Por fim, Jules informa que considera o cachorro pronto para sair.

— Então vamos — pede Tom. — Teremos que nos acostumar a ele enquanto andamos. Não podemos dormir aqui, com esse cheiro de morte.

Jules concorda. Mas é preciso algumas tentativas para pôr uma coleira no cachorro. Mais tempo passa. Quando Jules finalmente consegue, Tom decide mandar as doze horas para o espaço. Uma tarde lhes trouxe um cão — quem sabe o que a manhã do dia seguinte pode trazer.

Por outro lado, o tempo está *mesmo* passando depressa.

Na entrada da casa, eles apertam as vendas e vestem os capacetes. Então Tom destranca a porta da frente e os dois saem. Ele está usando seu cabo de vassoura, mas Jules usa o cachorro. O husky arqueja.

Cruzando o gramado outra vez, afastando-se ainda mais de Malorie, Don, Cheryl, Felix e Olympia, eles chegam a outra casa.

É nela, espera Tom, que ele e Jules vão passar a noite. Se as janelas estiverem protegidas, se uma busca lhes der confiança e se não forem recepcionados pelo cheiro de morte.

vinte e quatro

A dor no ombro de Malorie é tão exata, tão detalhada, que ela consegue enxergar seu contorno na mente. Pode ver a dor se mover quando o ombro se mexe. Não é a dor aguda que sentiu quando tudo aconteceu. Agora é profunda, constante e pulsante. São cores mudas de deterioração, em vez dos tons explosivos do ataque. Ela imagina como o chão do barco deve estar agora. Urina. Água. Sangue. As crianças perguntaram se ela estava bem. Ela disse que sim. Mas os filhos percebem quando lhe dizem uma mentira. Malorie os treinou para ouvir além das palavras.

Ela não está chorando agora, mas estava. Lágrimas silenciosas por trás da venda. Silenciosas para ela. Mas as crianças sabem arrancar sons do silêncio.

Tudo bem, crianças, costumava dizer Malorie, sentada à mesa da cozinha. *Fechem os olhos.*

Elas fechavam.

O que estou fazendo?

Está sorrindo.

Muito bem, Menina. Como você soube?

Você respira diferente quando sorri, mamãe.

E no dia seguinte, faziam aquilo de novo.

Está chorando, mamãe!

Isso mesmo. E por que eu choraria?

Você está triste.

Não é a única razão.

Está com medo!

Isso mesmo. Vamos tentar outra.

A água está ficando mais fria. Malorie a sente respingar a cada remada extenuante.

— Mamãe — chama o Garoto.

— O que foi?

Ela fica alerta no exato instante em que ouve a voz dele.

— Você está bem?

— Já me perguntou isso.

— Mas não parece bem.

— Eu disse que estou. O que quer dizer que estou bem. Não me questione.

— Mas você está respirando diferente! — diz a Menina

Ela está. Sabe que está. *Está se esforçando*, pensa.

— É só porque estou remando — mente Malorie.

Quantas vezes ela questionou seu dever como mãe enquanto treinava as crianças para se tornarem máquinas de ouvir? Para Malorie, assistir ao desenvolvimento delas era algo horrível algumas vezes. Como se tivesse sido deixada ali para criar duas crianças mutantes. Pequenos monstros. Criaturas capazes de aprender a ouvir um sorriso. Que podiam lhe dizer que estava com medo antes que ela mesma soubesse.

A ferida no ombro está feia. E, durante anos, Malorie temeu ter que lidar com um ferimento dessa gravidade. Houve outras ocasiões. Por um triz. Caiu da escada do porão quando as crianças tinham dois anos. Tropeçou enquanto levava um balde do poço e bateu a cabeça numa pedra. Uma vez achou que tivesse quebrado o pulso. Teve um dente lascado. Não consegue se lembrar de como eram suas pernas sem hematomas. E agora a pele do ombro parece ter sido arrancada da carne. Ela quer parar o barco. Quer procurar um hospital. Correr pelas ruas, gritando: *Preciso de um médico, preciso de um médico, PRECISO DE UM MÉDICO OU VOU MORRER E AS CRIANÇAS VÃO MORRER SEM MIM!!*

— Mamãe — chama a Menina.

— O que foi?

— Estamos indo para o lado errado.

— *O quê?*

À medida que ficava mais exausta, Malorie fez mais esforço com o braço mais forte. Agora está remando contra a correnteza e nem havia notado.

De repente, a mão do Garoto está sobre a dela. A princípio, Malorie se encolhe, mas então entende. Com os dedos nos dela, ele se movimenta com a mãe, como se estivesse girando a manivela do poço.

Naquele mundo frio e doloroso, o Garoto, ao ouvi-la mover-se com dificuldade, passa a ajudar a mãe a remar.

vinte e cinco

O husky está lambendo a mão de Tom. Jules ronca, à esquerda, no chão acarpetado da sala da casa. Atrás dele, uma TV gigantesca e silenciosa está em um aparador de carvalho. Há caixas de discos encostadas na parede. Abajures. Um sofá xadrez. Uma lareira de pedra. Um enorme quadro com uma paisagem de praia preenche o espaço acima da lareira. Tom acha que é o norte de Michigan. Sobre ele, há um ventilador de teto empoeirado.

O cachorro está lambendo sua mão porque ele e Jules se banquetearam com batatas fritas murchas naquela noite.

Esta casa se revelou mais frutífera do que a anterior. Os dois recolheram algumas latas, papel, dois pares de botas de criança, duas jaquetas pequenas e um resistente balde de plástico antes de cair no sono. Mas não encontraram uma lista telefônica. Nos tempos modernos em que todo mundo tem um celular no bolso, a lista telefônica, pelo que parece, entrou em extinção.

A casa mostra que os antigos donos saíram da cidade por vontade própria. Há mapas com indicações para uma pequena cidade no Texas, na fronteira com o México. Um manual de sobrevivência a crises marcado a caneta. Longas listas de mantimentos que incluem gasolina e peças de carro. Recibos contam a Tom que a família comprou dez lanternas, três varas de pescar, seis facas, garrafas de água, propano, nozes enlatadas, três sacos de dormir, um gerador, um arco e flecha, óleo de cozinha, gasolina e lenha. Enquanto o cachorro lambe sua mão, Tom pensa no Texas.

— Pesadelos — diz Jules.

Tom olha para ele e percebe que o amigo está acordado.

— Sonhei que a gente não encontrava o caminho de volta para casa — continuou Jules. — Que eu nunca mais via Victor.

— Lembre-se da estaca que fincamos no gramado — diz Tom.

— Não me esqueci dela — afirma Jules. — Sonhei que alguém a tinha arrancado.

Jules se levanta e os dois comem nozes de café da manhã. O husky ganha uma lata de atum.

— Vamos atravessar a rua — sugere Tom.

Jules concorda. Os dois se preparam. Logo, saem dali.

Do lado de fora, a grama dá lugar ao concreto. Estão na rua de novo. O sol está quente. O ar fresco é gostoso. Tom está prestes a dizer isso, mas Jules de repente o chama.

— O que é *isto*?

Tom, às cegas, vira-se.

— O quê?

— É um mastro, Tom. Parece... Acho que é uma *tenda*.

— No meio da rua?

— É. No meio da *nossa* rua.

Tom se aproxima de Jules. As cerdas de sua vassoura encontram algo que soa como se fosse feito de metal. Com cuidado, ele estende a mão para a escuridão e toca o que Jules encontrou.

— Não estou entendendo — diz.

Pondo a vassoura no chão, Tom usa as mãos para tatear acima de sua cabeça, pela tenda de lona. Aquilo o lembra de uma feira de rua à qual levou a filha certa vez. As ruas estavam bloqueadas com cones laranja. Centenas de artistas vendiam pinturas, esculturas, desenhos. Estavam posicionados lado a lado, muitos deles para contar. Todos vendiam seus produtos sob tendas de lona macia.

Tom entra debaixo da tenda. Usa a vassoura para traçar um arco no ar acima dele. Não há nada ali além dos quatro mastros que sustentam a tenda.

Militar, pensa. Essa imagem é muito distante de uma feira de rua.

Quando ele era criança, a mãe de Tom se vangloriava para os amigos. Dizia que o filho "se recusava a deixar um problema para lá". *Ele tenta resolvê-lo*, afirmava ela. *Não há nada nesta casa que não seja do interesse dele*. Tom se lembra de observar os rostos dos amigos da mãe, de como eles sorriam quando ela dizia aquilo. *Brinquedos?*, perguntava a mãe dele. *Tom não precisa de brinquedos. Um galho de árvore é um brinquedo. Os fios do videocassete são brinquedos. Como as janelas funcionam*. Durante toda a vida, ele foi descrito daquela maneira. *O tipo de cara que quer saber como as coisas funcionam. Pergunte ao Tom. Se ele não souber, vai descobrir. Ele conserta coisas. Tudo*. No entanto, para Tom, aquele comportamento não era digno de atenção. Até Robin nascer. A partir desse momento, a fascinação infantil pelo funcionamento das coisas o dominou. Agora, parado embaixo daquela tenda, Tom não sabe dizer se ele é uma criança que quer entender a tenda ou o pai que a aconselha a se afastar.

Os dois examinam aquilo, às cegas, por vários minutos.

— Talvez a gente possa usar esse troço — diz Tom, mas Jules já o está chamando, a distância.

Tom atravessa a rua. Segue a voz de Jules até se encontrarem em outro gramado.

A primeira casa que visitam naquele dia está destrancada. Eles concordam em não abrir os olhos lá dentro. E entram.

No interior, há uma brisa. Os homens percebem que as janelas estão abertas antes mesmo de conferi-las. O cabo de vassoura de Tom lhe revela que o primeiro cômodo onde entram está cheio de caixas. Essas pessoas, pensa, estavam se preparando para ir embora.

— Jules — pede Tom —, confira as caixas. Vou dar uma olhada no resto da casa.

Já faz vinte e quatro horas que deixaram a própria casa.

Agora, com carpete sob seus pés, Tom anda devagar pela casa de um estranho. Encontra um sofá. Uma cadeira. Uma TV. Mal consegue escutar Jules e o husky. Vento sopra pelas janelas abertas. Tom chega a uma mesa. Tateia a superfície até seus dedos encontrarem algo.

Uma tigela, pensa.

Erguendo-a, ele ouve algo cair na mesa. Tateia, encontra o objeto e descobre que é um utensílio que ele não imaginava.

É como uma concha de sorvete, só que menor.

Tom passa os dedos pelo objeto. Há uma substância espessa nele.

Ele estremece. Não é sorvete. Tom tocou em algo parecido certa vez.

Na beira da banheira. No pulso dela. O sangue lá estava assim. Espesso. Morto. O sangue de Robin.

Estremecendo, ele leva a tigela para mais perto do peito enquanto pousa o pegador na mesa. Passa os dedos lentamente pela curva suave da cerâmica até tocar em algo no fundo. Engasga e deixa a tigela cair no chão acarpetado.

— Tom?

Ele não responde de imediato. O que acabou de tocar... Já encostou em algo parecido com *aquilo* também.

Robin havia levado para casa. Da aula de ciências. Ela o guardou numa lata aberta de café cheia de moedas. Tom o encontrou quando Robin estava na escola. Ao vasculhar a casa em busca da origem daquele *cheiro*.

Sabia que havia encontrado, quando, perto da borda da lata, sobre a pilha de moedas, viu uma pequena bola descolorida. Instintivamente, ele a pegou. Ela murchou entre seus dedos.

Era um olho de porco. Dissecado. Robin havia mencionado que fizera isso na aula.

— Tom? O que aconteceu aí?

Jules está falando com você. Responda.

— Tom?

— Estou bem, Jules! Só deixei uma coisa cair.

Afastando-se da mesa, louco para sair daquele cômodo, ele esbarra em outra coisa.

Conhece aquela sensação também.

Isso era um ombro, pensa. *Há um corpo sentado em uma cadeira a esta mesa.*

Tom o imagina. Sentado. Sem olhos.

A princípio, ele não consegue se mover. Está virado para o lugar onde o corpo deve estar.

Então corre para fora do cômodo.

— Jules — chama —, vamos sair daqui.

— O que aconteceu?

Tom conta. Minutos depois, estão na rua. Decidiram procurar o caminho de volta para casa. Um cachorro já basta. Entre a tenda e o que Tom encontrou na tigela, nenhum dos dois quer mais ficar por ali.

Eles atravessam um gramado. Depois a entrada de uma garagem. Depois duas. O cachorro está puxando Jules. Tom se esforça para acompanhar. Sente que está se perdendo na escuridão da venda. Grita para Jules.

— Estou aqui! — responde o amigo.

Tom segue a voz dele. E o encontra.

— Tom, o cachorro está chamando atenção para essa garagem.

Ainda tremendo pela descoberta na última casa e assustado, confuso com a tenda sem sentido no meio da rua, Tom diz que eles devem seguir o caminho para casa. Mas Jules quer saber o que tanto interessa ao cão.

— É uma garagem anexa a uma casa — diz ele. — O husky está agindo como se houvesse alguma coisa viva lá dentro.

A porta lateral está trancada. Ao encontrar uma única janela, Jules a quebra. Diz a Tom que está protegida. Papelão. É pequena, mas um deles deve conseguir entrar. Jules diz que entrará. Tom se oferece também. Os dois amarram o cachorro a uma calha e entram pela janela.

Do lado de dentro, algo rosna para eles.

Tom se vira de volta para a janela. Jules grita:

— Parece outro cachorro!

Tom concorda. O coração dele bate depressa, depressa demais, pensa, e ele apoia uma das mãos no parapeito da janela, pronto para pular de volta.

— Não acredito nisso — diz Jules.

— No quê?

— É outro husky.

— *O quê?* Como sabe disso?

— Porque estou tocando no rosto dele.

Tom se afasta da janela. Ouve o cachorro comer. Jules o está alimentando.

Então, ao lado do cotovelo de Tom, emerge outro som.

De início, parecem crianças rindo. Em seguida, lembra uma música.

Depois, os dois ouvem o som indiscutível de chilreios.

Pássaros.

Com cuidado, Tom se afasta. Os chilreios silenciam. Ele se aproxima de novo. O som fica mais alto.

É claro, pensa Tom, sentindo o entusiasmo que esperava sentir quando deixaram a casa no dia anterior.

Enquanto Jules fala baixinho com o cachorro, Tom se aproxima dos pássaros até os chilreios ficarem insuportáveis. Ele tateia uma prateleira.

— Tom — pede Jules no escuro —, cuidado...

— Estão numa caixa — explica Tom.

— O quê?

— Cresci com um cara cujo pai era caçador. Os pássaros dele faziam o mesmo som. Piavam mais alto quando uma pessoa se aproximava.

Tom está tocando a caixa.

Ele está pensando.

— Jules — diz. — Vamos para casa.

— Gostaria de ter mais tempo com o cachorro.

— Vai ter que fazer isso em casa. Podemos trancá-los num quarto se houver algum problema. Mas já encontramos o que saímos para procurar. Vamos para casa.

Jules põe a coleira no outro husky. Este se mostra menos resistente. Enquanto saem da garagem pela porta lateral, Jules pergunta:

— Está trazendo os pássaros?

— Estou. Tive uma ideia.

Do lado de fora, os dois pegam o primeiro husky e andam de volta para casa. Jules leva o segundo cachorro, Tom, o primeiro. Aos poucos, os dois atravessam gramados e calçadas até chegarem à estaca que haviam fincado no dia anterior.

Na varanda, antes de bater na porta, Tom ouve os moradores da casa discutindo. Então pensa ter escutado um barulho vindo da rua, atrás dele.

Ele se vira.
Espera.
Pergunta-se a que distância está a tenda.
Depois bate na porta.
Lá dentro a discussão para. Felix grita para ele. Tom responde:
— Felix! É Tom!

vinte e seis

Você vai ter que abrir os olhos...

— Você precisa comer, Menina — diz Malorie com a voz fraca.

O garoto comeu nozes do pacote. A Menina não quer.

— Se não comer — diz Malorie, entre caretas de dor —, vou parar de remar e largar você aqui.

Malorie sente a mão da Menina em suas costas. Ela para de remar e pega algumas nozes do pacote para a filha. Até isso faz seu ombro doer.

No entanto, além da dor, um pensamento a ronda. Uma verdade que Malorie não quer encarar.

Sim, o mundo atrás da venda é de um tom cinza doente. Sim, ela está preocupada com a possibilidade de desmaiar. Mas uma realidade muito pior atravessa a miríade de problemas e medos. É complicada, engenhosa. Flutua, rodeia, então pousa nos limites da imaginação de Malorie.

É uma coisa da qual ela tem se protegido e escondido desde o início da manhã.

Mas isso foi o foco de todas as decisões que tomou nos últimos anos.

Você diz a si mesma que esperou quatro anos porque estava com medo de perder a casa para sempre. Diz a si mesma que esperou quatro anos porque queria treinar as crianças primeiro. Mas nada disso é verdade. Você esperou quatro anos porque aqui, nesta viagem, neste rio, onde loucos e lobos a espreitam, onde as criaturas podem estar por perto, NESTE DIA você terá que fazer uma coisa que não faz há muito mais do que quatro anos.

Hoje você vai ter que abrir os olhos.

Ao ar livre.

É verdade. Ela sabe disso. Parece que sempre soube. E do que tem mais medo: da possibilidade de uma criatura estar em seu campo de visão? Ou da irreal paleta de cores que explodirá diante dela quando abrir os olhos?

Como será o mundo agora? Será que você vai reconhecê-lo?

Está cinza? Será que as árvores enlouqueceram? As flores, as plantas, o *céu*? Será que o mundo inteiro enlouqueceu? Será que luta contra si mesmo? A Terra refuta os próprios oceanos? O vento ficou mais forte. Será que viu alguma coisa? Está maluco também?

Pense, diria Tom. *Você está conseguindo. Está remando. Apenas continue a remar. Tudo isso significa que vai conseguir. Vai ter que abrir os olhos. Você consegue. Porque precisa.*

Tom. Tom. Tom. Tom. Tom.

Ela deseja estar ao lado dele mais do que nunca.

Mesmo nesse mundo novo, ali no rio, enquanto o vento começa a uivar, a água fria respinga em sua calça jeans e animais selvagens espreitam as margens. O corpo dela está destruído e a mente é prisioneira do cinza, e mesmo ali Tom chega até ela como algo iluminado, algo certo, algo *bom*.

— Estou comendo — afirma a Menina.

Isso também é bom. Malorie encontra forças para incentivá-la.

— Muito bem — diz, a respiração ofegante.

Mais movimentos à esquerda na floresta. Soa como um animal. Poderia ser o homem do barco. Poderia ser uma criatura. Poderia ser uma dúzia delas. Será que o barco incomodará um bando de ursos famintos, em busca de peixes?

Malorie está *ferida*. Essa palavra não para de retornar à sua mente, num redemoinho. Assim como Tom. Assim como as cores cinzentas por trás da venda. E como os barulhos do rio e do novo mundo. O ombro. A *ferida*. Aconteceu. Exatamente o que teriam dito que aconteceria se houvesse alguém por perto para alertá-la.

Siga o rio, se precisar, mas saiba que pode se machucar.

Ah, não sei se eu faria isso. Você pode se machucar.

É perigoso demais. O que aconteceria com as crianças se você se machucasse lá fora?

O mundo agora é selvagem, Malorie. Não saia. Não entre no rio. Você pode se machucar.

Machucar.

MACHUCAR.

MACHUCAR!

Shannon. Pense em Shannon. Agarre-se a ela.

Malorie tenta. Uma lembrança abre caminho entre a multidão de pensamentos sombrios que avançaram sobre ela. Lembra-se de Shannon e ela numa colina. Fazia sol naquele dia. Malorie protegia os olhos com o pequeno antebraço. Apontava para o céu.

É Allan Harrison!, dizia, referindo-se a um menino da sua turma. *Aquela nuvem ali parece Allan Harrison!*

Estava rindo.

Qual?

Aquela ali! Viu?

Shannon se aproximou dela na grama. Deitou a cabeça ao lado da de Malorie.

É! Hahaha! Estou vendo também! E olhe aquela ali! Aquela é Susan Ruth!

As irmãs ficaram deitadas ali durante horas, observando rostos nas nuvens. Bastava um nariz. Uma orelha. Talvez acima de uma delas houvesse cachos, como os de Emily Holt.

Você se lembra do céu?, pergunta a si mesma, ainda remando, por incrível que pareça. *Estava tão azul. E o sol estava tão amarelo quanto o desenho de uma criança. A grama era verde. O rosto de Shannon estava pálido, suave, branco. Assim como as mãos dela, apontando para as nuvens. Naquele dia, havia cores em todos os lugares para onde se olhava.*

— Mamãe? — chama o Garoto. — Mamãe, você está chorando?

Quando abrir os olhos, Malorie, vai ver tudo de novo. O mundo inteiro será iluminado. Você viu paredes e cobertores. Escadas e carpetes. Manchas e baldes de água do poço. Cordas, facas, um machado, arame, fios e colheres. Alimentos enlatados, velas e cadeiras. Fita adesiva, pilhas, madeira e gesso. Faz anos que a única coisa que você pode ver são os rostos dos outros moradores da casa e o dos seus filhos. As mesmas cores. As mesmas cores. As mesmas cores há anos. ANOS. Está preparada? E o que mais assusta você? As criaturas ou você mesma, quando as lembranças de um milhão de cores e imagens inundarem sua mente? O que mais assusta você?

Malorie está remando muito devagar. A menos da metade da velocidade com que remava dez minutos atrás. A água, a urina e o sangue molham seus tornozelos. Animais, homens loucos ou criaturas se movimentam nas margens. O vento está gelado. Tom não está ali. Shannon não está ali. O mundo cinzento por trás da venda começa a rodar, como uma gosma espessa que se aproxima do ralo.

Ela vomita.

No último instante, Malorie se pergunta se o que está acontecendo com ela é uma coisa horrível. Desmaiar. O que vai acontecer com as crianças? Vão ficar bem se a mamãe simplesmente desmaiar?

E pronto.

As mãos de Malorie soltam os remos. Em sua mente, Tom a observa. As criaturas a observam também.

Então, enquanto o Garoto lhe pergunta algo, Malorie, a capitã daquele pequeno barco, apaga totalmente.

vinte e sete

Malorie acorda de sonhos com bebês. É bem cedo de manhã ou muito tarde da noite, imagina. A casa está em silêncio. Quanto mais avançada a gravidez, mais vívida a realidade se torna. Tanto *Grávida* quanto *Enfim... um Bebê!* falam em poucas páginas sobre partos em casa. É possível, claro, fazer um parto sem a ajuda de um profissional, mas ambos os livros chamam atenção para certos aspectos. Higiene, dizem eles. *Circunstâncias imprevistas*. Olympia odeia ler essas partes, mas Malorie sabe que elas devem fazer isso.

Um dia, você sentirá a mesma dor da qual a sua mãe e todas as mães falam: o parto. Apenas a mulher pode senti-la e, por isso, todas as mulheres têm um vínculo.

Agora o momento está chegando. *Agora*. E quem estará lá quando ele chegar? No velho mundo, a resposta seria fácil. Shannon, é claro. Sua mãe e seu pai. Amigos. Uma enfermeira que garantiria que tudo estava indo bem. Haveria flores em uma mesa. Os lençóis teriam cheiro de recém-lavados. Seria amparada por pessoas que já deram à luz antes. Elas agiriam como se aquilo fosse parecido com descascar um pistache. E a tranquilidade que expressariam seria exatamente o que acalmaria o nervosismo de Malorie.

No entanto, essa não é mais a resposta. Agora Malorie espera um parto que parece o de uma loba: bruto, cruel, desumano. Não haverá médico algum. Nem uma enfermeira.

Nem remédios.

Ah, como ela pensou que saberia o que fazer! Quão preparada achou que estaria! Revistas, sites, vídeos, conselhos do obstetra, histórias de outras mães. Mas nada disso está disponível para ela agora. *Nada!* Ela não vai dar à luz em um hospital, isso vai acontecer bem aqui na casa. Em um dos cômodos *desta casa*! E o máximo que pode esperar é que Tom ajude enquanto Olympia segura sua mão e olha para ela, horrorizada. Haverá cobertores sobre as janelas. Talvez uma camiseta debaixo de sua bunda. Ela vai beber um copo de água turva do poço.

E pronto. É assim que vai acontecer.

Ela volta a se deitar de costas. Respirando fundo e devagar, encara o teto. Fecha os olhos e volta a abri-los. Será que vai conseguir? *Será?*

Tem que conseguir. Por isso repete mantras, palavras que usa para se preparar.

No fim das contas, não importa se vai acontecer em um hospital ou no chão da cozinha. Seu corpo sabe o que fazer. Seu corpo sabe o que fazer. Seu corpo sabe o que fazer.

O bebê que está por vir é tudo que importa.

De repente, como se imitassem o som do bebê que Malorie se prepara para ter, ela ouve os pássaros piarem do lado de fora. Ela se afasta de seus pensamentos e presta atenção naquele som. Enquanto se ergue lentamente na cama, ouve uma batida na porta do primeiro andar.

Malorie fica paralisada.

Isso foi a porta? Será que foi Tom? Alguém foi lá fora?

Ouve a batida de novo e, impressionada, se senta. Põe a mão na barriga e escuta.

O barulho se repete.

Malorie coloca devagar os pés no chão, se levanta e atravessa o quarto. Para diante da porta, com uma das mãos na barriga, a outra no batente, e escuta.

Outra batida. Dessa vez, mais alta.

Ela anda até o topo da escada e para de novo.

Quem será?

Sob o pijama, seu corpo parece frio. O bebê se mexe. Malorie se sente um pouco zonza. Os pássaros ainda estão fazendo barulho.

Será que é um dos moradores?

Ela volta para o quarto e pega uma lanterna. Vai até o quarto de Olympia e ilumina a cama. A amiga está dormindo. No quarto ao final do corredor, vê Cheryl deitada na cama.

Devagar, Malorie desce a escada até a sala de estar.

Tom.

Tom está dormindo no carpete. Felix está no sofá.

— Tom — chama Malorie, tocando no ombro dele. — Tom, acorde.

Ele se vira de bruços. Depois olha para cima, para Malorie.

— Tom — repete ela.

— Está tudo bem?

— Tem alguém batendo na porta da frente.

— O quê? Agora?

— Agora.

Eles ouvem outra batida. Tom vira o rosto para o corredor.

— Puta merda. Que horas são?

— Não sei. Tarde.

— Certo.

Ele se levanta depressa. Hesita, como se tentasse acordar de vez, deixar o sono no chão. Está totalmente vestido. Ao lado de onde o amigo estava dormindo, Malorie vê o esboço de outro capacete. Tom acende a luz da sala de estar.

Então os dois andam até a porta da frente. Param no corredor. Ouvem outra série de batidas.

— Olá! — diz um homem.

Malorie agarra o braço de Tom. Ele acende a luz do corredor.

— Olá! — repete o homem.

Mais batidas se seguem.

— Preciso que me deixem entrar! — implora o homem. — Não tenho mais para onde ir. Olá!

Por fim, Tom vai até a porta. De uma extremidade do corredor, Malorie vê uma figura se mover. É Don.

— O que está acontecendo? — pergunta ele.

— Tem alguém à porta — responde Tom.

Don, ainda meio dormindo, parece confuso. Então retruca:

— Bem, e o que vocês vão fazer?

Mais batidas.

— Preciso de um lugar para ficar — diz a voz. — Não posso mais continuar sozinho aqui fora.

— Vou falar com ele — decide Tom.

— Aqui não é a porra de um albergue, Tom — afirma Don.

— Só vou falar com ele.

Então Don vai na direção deles. Malorie ouve movimentos no andar de cima.

— Se alguém estiver aí, eu poderia...

— Quem é você? — grita Tom, por fim.

Há um instante de silêncio. Depois:

— Ah, graças a Deus tem alguém aí! Meu nome é Gary.

— Ele pode ser um cara mau — diz Don. — Pode ser *maluco*.

Felix e Cheryl aparecem no fim do corredor. Parecem exaustos. Jules agora também está ali. Os cães estão atrás dele.

— O que está havendo, Tom?

— Oi, Gary — grita Tom. — Conte-nos um pouco mais sobre você.

Os pássaros estão arrulhando.

— Quem é esse? — pergunta Felix.

— Meu nome é Gary e tenho quarenta e seis anos. Tenho uma barba castanha. Não abro os olhos há muito tempo.

— Não gosto do som da voz dele — diz Cheryl.

Olympia também se junta a eles.

Tom berra:

— Por que está aí fora?

— Tive que sair da casa onde estava — responde Gary. — As pessoas lá não eram legais. Surgiu um problema.

— Que diabo isso significa? — grita Don.

Gary faz uma pausa. Depois diz:

— Elas ficaram violentas.

— Isso não é bom o bastante — afirma Don para os outros. — Não abram esta porta.

— Gary — grita Tom —, há quanto tempo você está aí fora?

— Dois dias, acho. Talvez quase três.

— Onde você tem dormido?

— Dormido? Em gramados. Embaixo de arbustos.

— Merda — diz Cheryl.

— Escutem — pede Gary. — Estou com fome. Estou sozinho. E com muito medo. Entendo a cautela de vocês, mas não tenho nenhum outro lugar para ir.

— Já tentou outras casas? — pergunta Tom.

— Já! Faz horas que estou batendo em várias portas. Vocês foram os primeiros a responder.

— Como ele sabia que estávamos aqui? — pergunta Malorie.

— Talvez não soubesse — diz Tom.

— Ele ficou batendo na porta por muito tempo. *Sabia* que estávamos aqui.

Tom se vira para Don. Sua expressão pergunta o que ele acha.

— De jeito nenhum.

Tom está suando.

— Tenho certeza de que *você* quer — continua Don, irritado. — Espera que ele tenha alguma informação.

— É isso mesmo — diz Tom. — Talvez ele tenha ideias. Também acho que precisa da nossa ajuda.

— Tudo bem. Bom, *eu* acho que pode haver uns sete homens lá fora prontos para degolar todos nós.

— *Deus do céu!* — exclama Olympia.

— Jules e eu ficamos dois dias fora também — lembra Tom. — Ele está certo ao dizer que as outras casas estão vazias.

— Então por que ele não dormiu em uma delas?

— Não sei, Don. Por causa de comida?

— E vocês estiveram lá fora ao mesmo tempo. Ele não os ouviu?

— Droga — reclama Tom. — Não tenho ideia de como responder a isso. Ele poderia estar em outra rua.

— Vocês não examinaram aquelas casas. Como sabe que ele está dizendo a verdade?

— Deixe o cara entrar — pede Jules.

Don o encara.

— Não é assim que funciona aqui, cara.

— Então vamos votar.

— Ah, puta que pariu — exclama Don, irritado. — Se um de nós não quer abrir a porra da porta, então acredito que a gente não deveria abrir a porra da porta.

Malorie pensa no homem na varanda. Na sua imaginação, os olhos dele estão fechados. Ele está tremendo.

Os pássaros continuam piando.

— Olá? — chama Gary de novo.

Ele parece tenso, impaciente.

— Oi — diz Tom. — Desculpe, Gary. Ainda estamos conversando sobre isso. — Então vira-se para os outros. — Vamos votar.

— Isso — concorda Felix.

Jules assente com a cabeça.

— Desculpem — diz Cheryl. — Não.

Tom olha para Olympia. Ela faz que não com a cabeça.

— Odeio dizer isso, Malorie — começa Tom —, mas está empatado. O que vamos fazer?

Malorie não quer responder. Não quer ter esse poder. O destino daquele estranho foi jogado nas costas dela.

— Talvez ele precise de ajuda — diz.

No entanto, um segundo depois, ela deseja não ter falado aquilo.

Tom se vira para a porta. Don estende o braço e agarra o pulso dele.

— Não quero que essa porta se abra — sibila.

— Don — diz Tom, soltando lentamente seu pulso da mão do amigo. — A gente votou. Vamos deixar o cara entrar. Assim como deixamos Olympia e Malorie. Assim como George deixou você e eu entrarmos.

Don encara Tom pelo que parece ser bastante tempo. Será que a briga vai ficar feia dessa vez?

— Escute o que vou dizer — pede Don. — Se alguma coisa der errado, se minha vida ficar em risco por causa da merda de uma votação, não vou parar para ajudar vocês enquanto estiver saindo desta casa.

— Don — começa Tom.

— Olá? — grita Gary.

— Mantenha os olhos fechados! — berra Tom. — Vamos deixar você entrar.

A mão de Tom está na maçaneta.

— Jules, Felix — chama ele —, usem os cabos de vassoura. Cheryl, Malorie, vocês terão que se aproximar dele e tateá-lo. Está bem? Agora, todo mundo, feche os olhos.

No escuro, Malorie ouve a porta se abrir.

Há um silêncio. Então Gary fala:

— A porta está aberta? — pergunta, ansioso.

— *Rápido* — diz Tom.

Malorie escuta um movimento. A porta da frente se fecha. Ela dá um passo adiante.

— Mantenha os olhos fechados, Gary — pede ela.

Malorie estende a mão na direção do homem. Ao encontrá-lo, leva os dedos ao rosto dele. Sente o nariz, as bochechas, a região dos olhos. Toca nos ombros dele e pede uma das mãos.

— Isso é novidade para mim — diz Gary. — O que está procurando...

— *Shhh!*

Ela toca nas mãos dele e conta os dedos. Sente as unhas e os pelos nas articulações.

— Tudo bem — diz Felix. — Acho que ele está sozinho.

— É — concorda Jules. — Está sozinho.

Malorie abre os olhos.

Vê um homem muito mais velho do que ela, com uma barba castanha, usando um blazer de tweed por cima de um suéter preto. Seu cheiro denuncia que ele está lá fora há semanas.

— Obrigado — diz ele, ofegante.

De início, ninguém responde. Apenas o observam.

O cabelo castanho, penteado para o lado, está bagunçado. Ele é mais velho e mais corpulento do que os outros moradores. Traz uma mala marrom na mão.

— O que tem aí dentro? — pergunta Don.

Gary olha para a mala como se tivesse se esquecido de que a carregava.

— Minhas coisas — diz. — O que consegui pegar ao sair.

— Que coisas? — indaga Don.

Gary, expressando tanto surpresa quanto compreensão, abre a mala e a vira para os outros moradores. Papéis. Uma escova de dente. Uma camisa. Um relógio.

Don assente com a cabeça.

Enquanto fecha a mala, Gary nota a barriga de Malorie.

— Meu Deus! — exclama ele. — Está para nascer, não é?

— É — confirma ela, com frieza, ainda sem saber se eles podem confiar naquele homem.

— Para que servem os pássaros? — pergunta Gary.

— Para nos alertar — explica Tom.

— É claro — diz Gary. — Como os canários nas minas. Foi muito inteligente da parte de vocês. Eu os ouvi ao me aproximar.

Então Tom convida Gary a entrar mais na casa. Os cães o farejam. Na sala de estar, Tom aponta para a poltrona.

— Pode dormir aqui essa noite — diz. — Ela reclina. Quer comer alguma coisa?

— Quero — afirma Gary, aliviado.

Tom o conduz pela sala de estar, passando pela cozinha, até a sala de jantar.

— Guardamos os enlatados no porão. Vou pegar alguma coisa para você.

Tom faz um gesto para que Malorie o acompanhe até a cozinha. Ela vai atrás.

— Vou ficar acordado com ele por um tempo — avisa Tom. — Vá dormir se quiser. Todo mundo está exausto. Está tudo bem. Vou dar um pouco de comida e água a ele e amanhã conversamos com o cara. Todos nós.

— Não vou para a cama agora de jeito nenhum — afirma Malorie.

Tom sorri, cansado.

— Tudo bem.

Ele vai até o porão. Malorie se junta aos outros na sala de jantar. Tom volta com pêssegos enlatados.

— Nunca poderia ter pensado — diz Gary — que, um dia, a ferramenta mais valiosa do mundo seria um abridor de latas.

Todos estão juntos à mesa de jantar. Tom faz perguntas a Gary. Como ele sobreviveu lá fora? Onde dormia? É claro que o homem está exausto. Por fim, um a um, a começar por Don, os outros vão para seus quartos. Enquanto Tom leva Gary de volta para a sala de estar, Malorie e Olympia se levantam da mesa. Na escada, Olympia pega a mão de Malorie.

— Malorie — diz ela —, você se importa se eu dormir com você hoje?

Malorie se vira para a amiga.

— Não. Não me importo nem um pouco.

vinte e oito

É a manhã seguinte. Malorie se levanta da cama e se veste. Parece que todos estão no andar de baixo.

— Vocês também tinham luz elétrica? — pergunta Felix enquanto ela entra na sala de estar.

Gary está sentado no sofá. Ao ver Malorie, sorri.

— Este — diz ele, indicando a moça com a mão — é o anjo que tocou meu rosto quando entrei. Tenho que admitir: o contato humano quase me fez chorar.

Malorie acha que Gary fala um pouco como um ator. Tem floreios teatrais.

— Então foi mesmo uma votação que decidiu o meu destino? — pergunta ele.

— Foi — responde Tom.

Gary assente.

— Na casa de onde vim, não havia esse tipo de cortesia. Se alguém tinha uma ideia, a pessoa a realizava com determinação, mesmo que nem todos aprovassem. É um alívio encontrar pessoas que mantiveram um pouco da civilidade da nossa antiga vida.

— Eu votei contra — diz Don, de repente.

— É mesmo? — pergunta Gary.

— É. Votei. Sete pessoas sob um mesmo teto já é o bastante.

— Entendo.

Um dos huskies se levanta e vai até Gary. O homem faz carinho atrás das orelhas do cão.

Tom começa a explicar a ele as mesmas coisas que um dia explicou a Malorie. Energia hidroelétrica. Os mantimentos no porão. A falta de uma lista telefônica. Como George morreu. Depois de um tempo, Gary fala sobre um companheiro da antiga casa. Um "homem perturbado" que não acreditava nem um pouco que as criaturas causavam mal.

— Ele achava que a reação das pessoas às criaturas era psicossomática. Em outras palavras, toda essa história de insanidade não seria causada pelas criaturas, mas pelas pessoas dramáticas que as veem.

Essa história de insanidade, pensa Malorie. Será que tais palavras de desprezo foram mesmo ditas pelo morador da antiga casa de Gary?

Ou pelo próprio Gary?

— Gostaria de contar a vocês sobre minha experiência em minha antiga casa — continua Gary. — Mas aviso que foi sombria.

Malorie quer ouvir essa história. Todos querem. Gary passa a mão pelo cabelo.

Então Gary começa:

— Não respondemos a nenhum anúncio e não éramos tão jovens quanto vocês. Não havia um espírito de comunidade nem o esforço de formar um grupo coeso. Meu irmão Duncan tem um amigo que levou o Relatório Rússia muito a sério. Ele foi um dos primeiros a acreditar. Tudo se encaixava bem nas teorias conspiratórias e na paranoia que ele tinha de que o governo ou *alguém* queria nos pegar. Em certos momentos, mesmo eu não consigo acreditar que isso esteja acontecendo. E quem pode me culpar? Tenho mais de quarenta anos. Estava tão acostumado com a vida que levava que nunca imaginei uma assim. Resisti. Mas Kirk, o amigo do meu irmão, tinha certeza desde o início. E nada, pelo que parecia, tiraria a ideia da cabeça dele. Certa tarde, Duncan me ligou e disse que Kirk sugeriu que a gente se reunisse na casa dele por alguns dias ou até saber mais sobre aquela "coisa". "Que coisa?", perguntei. "Gary, está em todos os canais."

"'Que coisa, Duncan? O que aconteceu na Rússia? Você não pode estar falando sério.' 'Por favor', pediu ele. 'Vamos tomar umas cervejas, comer umas pizzas e agradar Kirk. Não temos nada a perder.'

"Disse a ele que não, obrigado. Ficar perto do maluco do Kirk enquanto ele analisava reportagens sensacionalistas não parecia nada divertido para mim. Mas não demorou muito e fui para lá.

"Tinha ouvido falar dos incidentes como todo mundo no país. Isso começou a me deixar preocupado. Havia tantos casos. Mesmo assim, estupidamente, tentei preservar minha descrença. Esse tipo de coisa não acontece assim. Mas então ouvi um caso que me forçou a agir. Foi aquele sobre as irmãs no Alasca. Vocês devem estar se perguntando por que levei tanto tempo para me convencer. Esse incidente aconteceu bem mais tarde, mas o Alasca fica nos Estados Unidos, e sou provinciano o bastante para me preocupar só quando as coisas acontecem perto de casa. Até mesmo o repórter estava claramente assustado com o que dizia. É, inclusive o cara que transmitiu a notícia tremia.

"Vocês conhecem a história. Uma mulher viu duas vizinhas idosas, irmãs, saírem de casa. Ela supôs que tinham ido dar a caminhada de todos os dias. Três horas depois, ouviu no rádio que as irmãs estavam em frente ao hospital, agachadas na escada de pedra, tentando morder quem passava. A mulher foi até o local, considerando-se mais próxima das duas do que qualquer pessoa e mais apta a ajudá-las. Mas não foi o caso. E as fotos da CNN mostraram a mulher sem o rosto, que estava literalmente jogado na calçada ao lado do crânio sangrento. Ao lado dela, estavam as duas senhoras, mortas pela polícia. Aquela imagem me aterrorizou. Pessoas tão normais. Um local tão comum.

"Para Kirk, o incidente no Alasca validava todas as fantasias paranoicas dele. Apesar do meu medo crescente, eu não estava pronto para trocar a vida que tinha por essa nova existência militar que ele estava adotando. Decidi cobrir as janelas, trancar as portas e me esconder, mas Kirk já bolava planos para combater o que ele acreditava ser uma 'invasão'. Não ficou claro se eram alienígenas ou não. Ele falava em armas e em equipamentos como um veterano de guerra. Mas é claro que não era um. Nunca havia se alistado para nada na vida.

Gary faz uma pausa. Parece ponderar. Prossegue:

— Logo a casa ficou cheia de homens quase militares. Kirk estava adorando o novo cargo de general e, de fora, eu via muitas coisas ridículas.

Acabei criando o hábito de dizer a Duncan que ele deveria ficar longe de Kirk. Um homem como Kirk era capaz de prejudicar os próprios amigos. Os outros moradores da casa estavam ficando cada vez mais bélicos, empolgados com a fantasia de derrotar os vilões da "invasão" de Kirk. Dias se passaram, mas nada foi feito a partir das alegações escandalosas de que protegeriam a cidade, eliminariam a causa dessa loucura global e garantiriam um lugar na história como o grupo que resolveu "o Problema". No entanto, um homem na casa agiu segundo o que acreditava. Seu nome era Frank e ele acreditava que as criaturas contra as quais Kirk se preparava para lutar não eram uma ameaça. Mesmo assim, ele foi para a casa, com medo, admitia, do caos inevitável que varreria a nação.

"Enquanto Kirk planejava treinamentos diários inúteis, Frank se tornou uma espécie de eremita e quase não saía do seu quarto no segundo andar. E lá dentro, ele escrevia. Dia e noite, Frank escrevia a lápis, a caneta, a marca-texto e a maquiagem. Um dia, andando pelo corredor do segundo andar, ouvi algo atrás da porta fechada do quarto dele. Era um som furioso, laborioso, irritado, incansável. Abri um pouco a porta e o vi debruçado sobre uma escrivaninha, sussurrando sobre uma sociedade 'fanática, exagerada', que ele odiava enquanto escrevia. Eu não tinha como saber o que estava escrevendo. Mas queria descobrir.

"Conversei com Duncan sobre isso. O rosto do meu irmão estava pintado com uma camuflagem ridícula. Àquela altura, ele já havia sido infectado pela maluquice de Kirk. Não acreditava que Frank fosse uma ameaça. Frank, que usava expressões como *histeria em massa* e *idolatria psicossomática* enquanto Kirk e os outros fingiam treinar tiro ao alvo, sem armas, no porão. Todos repudiavam Frank por considerá-lo um pacifista inútil.

Gary passa as mãos pelo cabelo de novo.

— Resolvi descobrir o que Frank estava fazendo no quarto dele. Comecei a procurar uma oportunidade para ler o que ele escrevia em segredo.

"O que vocês acham que aconteceria com um homem já louco se ele visse as criaturas lá fora? Acham que elas não o afetariam, que a mente dele já estaria destruída? Ou acham que a loucura alcançaria outro nível de insanidade, um nível superior? Talvez os doentes mentais herdem este novo mundo, por serem incapazes de ficarem mais loucos do que já são. Não sei mais sobre isso do que vocês."

Gary toma um gole de água.

— O melhor momento se apresentou da seguinte maneira: Kirk e os outros estavam ocupados no porão. Frank tomava banho. Resolvi dar uma olhada rápida. Entrei no quarto dele e encontrei os escritos na gaveta da escrivaninha. Não foi uma tarefa fácil, pois, na época, eu já estava com medo do cara. Os outros podiam ignorar Frank, achar graça dele, mas eu suspeitava de possibilidades mais tenebrosas. Comecei a ler. Logo fiquei impressionado com suas palavras. Não importava quanto tempo fazia desde que Frank começara a escrever. Parecia impossível ele ter escrito aquilo tudo. *Dúzias* de cadernos, em várias cores, um mais raivoso do que o outro. Pequenos versos escritos à mão eram seguidos de enormes frases iluminadas, todas declarando que não era preciso temer as criaturas. Ele se referia a nós como "aqueles com mentes pequenas" que "precisavam ser exterminados". Ele era mesmo perigoso. De repente, ao ouvi-lo sair da banheira, corri para fora do quarto. Talvez Duncan não estivesse tão errado em se juntar a Kirk. Aqueles cadernos me mostraram que havia reações muito piores ao novo mundo.

Gary respira fundo. Seca os lábios com as costas da mão.

— Quando acordamos no dia seguinte, os cobertores haviam sido retirados das janelas.

Cheryl arqueja.

— As portas estavam destrancadas.

Don começa a dizer alguma coisa.

— E Frank tinha ido embora. Levara o caderno.

— Puta que pariu! — exclama Felix.

Gary assente com a cabeça.

— Alguém se machucou? — pergunta Tom.

Os olhos de Gary se enchem de lágrimas, mas ele se controla.

— Não — diz. — Ninguém. E Frank teria incluído isso nas anotações dele, tenho certeza.

Malorie leva a mão à barriga.

— Por que você foi embora? — pergunta Don, impaciente.

— Fui embora porque Kirk e os outros começaram a falar muito sobre procurar Frank — justifica Gary. — Queriam matar o cara pelo que ele havia feito.

A sala fica em silêncio.

— Então soube que precisava sair dali. Aquela casa estava arruinada. Destruída. Pelo que parece, a de vocês não está. Por isso — diz Gary, olhando para Malorie —, agradeço por você ter me deixado entrar.

— Não fui eu que deixei você entrar — retruca Malorie. — Fomos todos nós.

Que tipo de homem, pensa ela, *abandonaria o irmão?*

Malorie olha para Don. Para Cheryl. Para Olympia. Será que a história de Gary fascinou aqueles que votaram para que ele não entrasse? Ou justificou os medos deles?

Essa história de insanidade.

Tom e Felix estão questionando Gary sobre a história. Jules também acrescenta algumas perguntas. Mas Cheryl saiu da sala. E Don, que sempre tem algo a dizer sobre tudo, não fala nada. Ele apenas observa.

Uma divisão, pensa Malorie, *está crescendo.*

Para ela não importa exatamente quando aquilo começou. Está visível agora. Gary trouxe consigo uma mala. Uma história. E, de alguma forma, uma divisão.

vinte e nove

Malorie acorda de olhos fechados. Não é mais tão difícil quanto antes. Sua consciência retorna. Os sons, as sensações e os aromas de vida. Visões também. Malorie sabe que, apesar de estar com os olhos fechados, a visão *existe*. Ela vê tons de laranja, amarelo, as cores do sol distante penetrando sua pele. Os cantos da sua visão estão cinzentos.

Parece que ela está ao ar livre. Sente o ar frio e fresco no rosto. Lábios rachados. Garganta seca. Quando foi a última vez que bebeu algo? Seu corpo parece bem. Descansado. Há uma leve dor em algum lugar à esquerda do pescoço. Seu ombro. Leva a mão direita à testa. Quando os dedos tocam o rosto, ela percebe que estão molhados e sujos. Na verdade, suas costas inteiras parecem molhadas. Sua camiseta está ensopada.

Um pássaro canta acima dela. Com os olhos ainda fechados, Malorie se vira na direção dele.

As crianças estão ofegantes. Parece que estão trabalhando em alguma coisa.

Estão desenhando? Construindo? Brincando?

Malorie se senta.

— Garoto?

Seu primeiro pensamento parece uma piada. Algo impossível. Um erro. Então ela percebe que é exatamente o que está acontecendo.

Estão ofegantes porque estão remando.

— *Garoto!* — grita Malorie.

Sua voz parece horrível. Como se sua garganta fosse feita de madeira.

— Mamãe!

— O que está havendo?!

O barco. O barco. O barco. Você está no rio. Você desmaiou. Você DESMAIOU.

Apoiando o ombro machucado na beira do barco, ela pega um pouco de água e leva até a boca. Então fica de joelhos, na borda, e pega vários punhados sucessivos de água. Está ofegante. Mas a visão turva desapareceu. E seu corpo parece um pouco melhor.

Ela se vira para as crianças.

— Por quanto tempo? *Por quanto tempo?*

— Você dormiu, mamãe — diz a Menina.

— Teve pesadelos — afirma o Garoto.

— Estava chorando.

A mente de Malorie processa tudo muito rápido. Será que não entendeu alguma coisa?

— *Por quanto tempo?* — berra ela de novo.

— Não muito — responde o Garoto.

— Estão com as vendas ainda? *Respondam!*

— Estamos — dizem os dois.

— O barco ficou preso — informa a Menina.

Meu Deus, pensa Malorie.

Então ela se acalma o bastante para perguntar:

— Como ele se soltou?

Ela encontra o pequeno corpo da Menina. Tateia os braços dela até alcançar as mãos. Depois estende o braço e acha o Garoto.

Cada um está com um remo nas mãos. Estão remando juntos.

— A gente soltou, mamãe! — diz a Menina.

Malorie está de joelhos. Percebe que está fedendo. Como um bar. Como um banheiro.

A vômito.

— A gente se soltou — explica o Garoto.

Malorie está ao lado dele agora. Suas mãos trêmulas estão sobre as dele.

— Estou ferida — diz ela, em voz alta.

— O quê? — pergunta o Garoto.

— Preciso que vocês voltem para onde estavam antes de a mamãe dormir. Agora.

As crianças param de remar. A Menina se espreme na mãe ao voltar para o banco de trás. Malorie a ajuda.

Então ela se senta no banco do meio de novo.

O ombro está doendo, mas não tanto quanto antes. Ela precisava descansar. Não dava trégua ao corpo. Por isso ele a obrigou a parar.

Na névoa da mente que acaba de acordar, Malorie está ficando com mais frio, mais medo. *E se acontecer de novo?*

Será que passaram do local para onde estão viajando?

Com os remos mais uma vez nas mãos, Malorie respira fundo antes de voltar a remar.

Então começa a chorar. Chora porque desmaiou. Chora porque um lobo a atacou. Chora por razões demais para explicar. Mas sabe que parte disso é porque descobriu que as crianças são capazes de sobreviver, mesmo que apenas por um instante, sozinhas.

Você as treinou bem, pensa. A ideia, muitas vezes desagradável, a deixa orgulhosa.

— Garoto — diz ela, através de lágrimas —, preciso que ouça com atenção de novo, está bem?

— Estou ouvindo, mamãe!

— E você, Menina, precisa fazer a mesma coisa.

— Também estou ouvindo!

Será que é possível, pensa Malorie, *que nós estejamos bem? Será que é possível que você tenha desmaiado e acordado e que tudo ainda esteja bem?*

Não parece verdade. Isso não vai de acordo com as regras do novo mundo. Há algo ali no rio com eles. Loucos. Animais. Criaturas. Quanto tempo a mais de sono os teria atraído para o barco?

Agradecida, ela recomeça a remar. Mas o que está à espreita parece mais próximo agora.

— Desculpem — diz Malorie, chorando enquanto rema.

Suas pernas estão encharcadas de urina, água, sangue e vômito. Mas o corpo está descansado. De alguma forma, pensa Malorie, apesar das leis cruéis desse mundo implacável, ela conseguiu uma folga.

A sensação de alívio dura uma remada. Então Malorie fica alerta e assustada, mais uma vez.

trinta

Cheryl está chateada.

Malorie a ouve conversando com Felix no quarto no fim do corredor. Os outros estão no primeiro andar. Gary começou a dormir na sala de jantar, apesar do chão duro de madeira. Desde que ele chegou, duas semanas atrás, Don se aproximou muito dele. Malorie não sabe o que pensar sobre isso. É provável que ele esteja com Gary agora.

No entanto, no fim do corredor, Cheryl sussurra, apressada. Ela parece assustada. A sensação é que todos estão. Mais do que de costume. O ânimo da casa, antes mantido com unhas e dentes pelo otimismo de Tom, fica mais sombrio a cada dia. Às vezes, pensa Malorie, o desânimo é mais profundo do que o medo. É assim que Cheryl soa. Malorie pensa em se juntar a eles, talvez até para acalmar a amiga, mas decide ficar sozinha.

— Faço isso todo dia, Felix, porque gosto. É meu trabalho. E os poucos minutos que passo do lado de fora são preciosos para mim. Eles me fazem lembrar quando eu tinha um trabalho *de verdade*. Aquele pelo qual acordava todo dia. Do qual me orgulhava. Alimentar os pássaros é a única coisa que me conecta à vida que eu tinha.

— E dá a você a chance de sair.

— É, e me dá a chance de sair.

Cheryl tenta controlar a voz e depois continua.

Ela está lá fora, diz a Felix, pronta para alimentar os pássaros. Está tateando a parede para procurar a caixa. Na mão direita, segura fatias de maçã que pegou numa lata do porão. A porta da frente se fechou atrás dela. Jules espera do lado de dentro. Vendada, Cheryl anda devagar, equilibrando-se nas paredes da casa. Os tijolos parecem ásperos sob seus dedos. Logo eles darão lugar à madeira, de onde o gancho de metal se projeta. É lá que os pássaros estão.

Eles já arrulham. Sempre fazem isso quando ela se aproxima. Cheryl se ofereceu de bom grado para alimentar os pássaros quando os moradores começaram a discutir sobre a tarefa. Ela vem fazendo isso todo dia desde então. De certa forma, parece que as aves são suas. Cheryl conversa com elas, conta sobre os acontecimentos triviais da casa. A resposta doce dos pássaros a acalma como a música costumava fazer. Ela diz a Felix que consegue perceber a que distância está da caixa pela altura dos chilreios.

No entanto, dessa vez, ela ouve algo além dos pios.

No fim da calçada da frente, ouve um "passo interrompido". É a única maneira que encontra para explicar a Felix o que ouviu. A Cheryl, parece que alguém estava caminhando, planejando andar ainda mais, no entanto parou de repente.

Sempre muito alerta quando alimenta os pássaros, ela fica surpresa ao perceber que está tremendo.

Então pergunta:

— Tem alguém aí?

Ninguém responde.

Ela pensa em voltar para a porta da frente. Vai dizer aos outros que está assustada demais para alimentar os pássaros hoje.

Em vez disso, espera.

E não escuta mais som algum.

Na caixa, os pássaros estão agitados. Ela os chama, nervosa.

— Calma, pessoal. Calma.

O tremor em sua voz a assusta. Instintivamente, ela baixa a cabeça e ergue a mão com as maçãs para se proteger, como se algo estivesse prestes a tocar seu rosto. Ela dá um passo. Depois outro. Por fim, alcança a caixa. Às vezes, diz ela a Felix, a caminhada entre a porta da frente e a caixa é como flutuar no espaço sideral. Sem corda de segurança.

Ela se sente muito longe da terra hoje.

— Calma, calma — diz, abrindo apenas o suficiente a tampa da caixa para jogar algumas fatias de maçã.

Normalmente, ela ouve os passos das pequenas patas enquanto as aves correm até a comida. Hoje, não escuta nada.

— Comam, pessoal. Não estão com fome?

Ela abre de novo um pouquinho da tampa da caixa e joga lá dentro os pedaços restantes. Esta, diz a Felix, é sua parte favorita. Quando fecha a tampa de volta, pressiona o ouvido na caixa e ouve aqueles pequenos seres comerem.

No entanto, os pássaros não começam a comer. Em vez disso, arrulham ansiosos.

— Calma, calma — diz Cheryl, tentando espantar o tremor da sua voz. — Comam, pessoal.

Ela afasta o ouvido da caixa, pensando que sua presença está deixando os pássaros com medo. E, nesse momento, solta um grito.

Algo tocou o ombro dela.

Virando-se, às cegas, Cheryl balança os braços com força. Não encosta em nada.

Ela não consegue mexer as pernas. Não consegue correr para dentro. Algo tocou seu ombro e ela não sabe o que foi.

As vozes dos pássaros não soam mais de forma adorável. Parecem o que Tom quer que sejam.

Um alarme.

— *Quem está aí?*

Cheryl teme que alguém responda. Não quer que ninguém responda.

Ela decide gritar. Um dos moradores da casa pode ir buscá-la. Trazê-la de volta para a Terra. No entanto, quando dá um passo, ouve seu sapato pisar numa folha. Desesperada, tenta se lembrar da primeira vez em que chegou à casa. Ela olhou para o lugar pela janela do carro. Será que havia uma árvore? Ali, na calçada?

Será?

Talvez tenha sido apenas uma folha caindo que atingiu seu ombro.

Seria muito fácil descobrir. Se pudesse simplesmente abrir os olhos por um segundo, ela poderia verificar se está sozinha. Poderia ver se foi só uma folha. Nada mais.

Mas não pode.

Tremendo, Cheryl apoia as costas na parede e desliza lentamente na direção da porta da frente. Sua cabeça se volta para a esquerda e para a direita ao ouvir os sons mais sutis. Um pássaro voando no céu. O farfalhar de uma árvore na outra calçada. Uma breve lufada de brisa quente. Suando, ela enfim sente os tijolos e corre para a porta.

— Meu Deus! — exclama Felix. — Você realmente acha que poderia ter sido uma folha?

Cheryl hesita. Malorie se inclina ainda mais na direção do corredor.

— Acho — responde Cheryl de repente. — Acho. Pensando bem, foi exatamente isso.

Malorie volta para o quarto e se senta na cama.

A história de Felix sobre o poço e o que ele ouviu lá fora. Victor latindo para as janelas tapadas. Cheryl com os pássaros.

Será que é possível, pensa Malorie, que o mundo lá fora e as coisas da qual eles se escondem estejam cercando a casa?

trinta e um

Para Malorie, desde a chegada de Gary, a casa parece totalmente diferente, dividida. É uma pequena mudança, mas, nessas circunstâncias, qualquer mudança é grande.

E é Don quem mais a preocupa.

Muitas vezes, quando Tom, Jules e Felix estão conversando na sala de estar, Don está na sala de jantar com Gary. Ele demonstrou muito interesse na história do homem que arrancou os cobertores das janelas e destrancou as portas. Ao lavar roupas na pia da cozinha, usando a metade restante do antepenúltimo frasco de detergente, Malorie escuta as duas conversas ao mesmo tempo. Enquanto Tom e Jules transformam camisas de manga comprida em coleiras de cachorro, Gary explica para Don como Frank pensava. Sempre o que Frank pensava. Nunca o que Gary pensa.

— Não acho que seja uma questão de um homem estar mais bem preparado do que outro — diz Gary. — Acho que é mais parecido com um filme 3-D. De início, o público acha que os objetos estão mesmo se aproximando. Então erguem as mãos para se proteger. Mas os inteligentes, os que prestam muita atenção, sabem que estiveram seguros o tempo todo.

Don abandonou a antipatia inicial por Gary e agora concorda com ele. Malorie acha que viu aquilo acontecer.

Olha, eu não acho que essa teoria seja mais maluca do que a nossa, disse Don a ele uma vez.

— É difícil, porque não recebemos mais notícia alguma — diz Don.

— Exatamente.

É, Don passou de alguém que votou contra a entrada de Gary na casa para o único morador que se senta com ele e conversa. E conversa. E conversa.

Ele é cético, pensa Malorie. *É da natureza dele. E precisava de alguém com quem conversar. É só isso que essa situação significa. Ele é diferente de você. Será que você não entende?*

No entanto, esses pensamentos não se sustentam. Não importa como Malorie veja as coisas, Gary e Don conversam sobre temas como histeria e a ideia de que as criaturas não causam danos a alguém que esteja preparado para vê-las. Ela sabe que Don abraçou há muito tempo um medo maior dos homens do que das criaturas. Ainda assim, ele fecha os olhos quando a porta da frente se abre e se fecha. Não olha pela janela. Nunca se *comprometeu* com a ideia de que as criaturas não podem nos ferir. Será que alguém como Gary poderia, enfim, convencê-lo disso?

Malorie quer conversar com Tom sobre aquilo. Quer chamá-lo confidencialmente e pedir que os impeça. Ou que ele pelo menos vá falar com os dois. Talvez suas palavras influenciem a conversa. Tornem tudo mais seguro.

Sim, ela quer falar com Tom sobre Don.

Divisão.

Com calafrios, ela atravessa a cozinha e olha para a sala de estar. Tom e Felix estão analisando um mapa no chão. Medem distâncias de acordo com a escala de quilometragem do mapa. Jules está adestrando os cachorros.

Pare. Comece de novo.

— Temos que calcular qual é a média de um passo para *você* — diz Felix.

— O que estão medindo? — pergunta Malorie.

Tom se vira para ela.

— A distância — responde ele. — Quantos passos dão um quilômetro.

Felix usa uma fita métrica para medir o pé de Tom.

— Se eu escutar música enquanto ando — sugere Tom —, posso andar no ritmo dela. Assim, os passos que a gente medir aqui serão mais ou menos os mesmos que eu vou dar lá fora.

— Como se estivesse dançando — diz Felix.

Malorie se vira e vê Olympia à pia da cozinha. Ela está lavando talheres. Malorie se junta a ela e continua a lavar as roupas. Após quase quatro meses confinada naquela casa, Olympia perdeu um pouco do seu brilho. Sua pele está pálida. Os olhos, mais fundos.

— Está preocupada? — pergunta Olympia de repente.

— Com o quê?

— Com conseguir.

— Conseguir o quê?

— Sobreviver ao parto.

Malorie quer dizer à amiga que vai ficar tudo bem, mas não encontra as palavras certas. Está pensando em Don.

— Eu sempre quis ter um bebê — diz Olympia. — Fiquei tão animada quando descobri. Senti que minha vida estava completa, sabe?

Não foi como Malorie se sentiu, mas ela diz que sim, que sabe.

— Ai, Malorie, *quem* vai fazer o nosso parto?

Malorie não sabe.

— Os outros da casa. Não vejo...

— Mas Tom nunca fez isso!

— Não. Mas ele foi pai.

Olympia encara as próprias mãos, submersas no balde.

— Quer saber? — diz Malorie, brincando. — A gente faz o parto uma da outra.

— Fazer o parto uma da outra? — repete Olympia, finalmente sorrindo. — Malorie, você é demais!

Gary entra na cozinha. Pega um copo de água do balde no balcão. Depois pega mais um copo. Malorie sabe que é para Don. Quando ele sai, uma música começa a vir da sala de estar. Ela se inclina para a frente a fim de observar o cômodo. Tom segura o pequeno toca-fitas. É uma das fitas de George que está tocando. Felix, de quatro, mede os passos enquanto Tom anda no ritmo da música.

— O que eles estão fazendo? — pergunta Olympia.

— Acho que querem ir a um lugar específico — explica Malorie. — Estão tentando achar a melhor maneira de andar lá fora.

Malorie vai em silêncio até a porta da sala de jantar. Ao espiar lá dentro, vê Don e Gary, de costas para ela, sentados nas cadeiras da mesa. Estão falando baixinho.

Ela atravessa outra vez a cozinha. Quando entra na sala de estar, Tom está sorrindo. Tem uma coleira em cada mão. Os huskies estão brincando com elas, balançando os rabos.

Malorie só consegue pensar na discrepância entre as ações esperançosas e progressivas que se desenrolam na sala de estar e o tom conspiratório na sala de jantar.

Ela volta à pia e começa a enxaguar. Olympia está falando, mas Malorie pensa em outra coisa. Ela se inclina para a frente e consegue ver o ombro de Gary. Além dele, apoiado na parede, está o único item que o homem trouxe consigo do mundo exterior.

A mala.

Ele mostrou a todos o conteúdo dela quando entrou na casa. A pedido de Don. Mas será que ela deu uma boa olhada em tudo? Algum morador fez isso?

— E parem! — grita Tom.

Malorie se vira para ver que ele e os cachorros estão na entrada da cozinha. Os huskies se sentam. Tom os recompensa com carne crua.

Malorie volta a lavar roupa. Está pensando na mala.

trinta e dois

Ela sabia que isso ia acontecer. Como poderia não saber? Todos os sinais estavam lá desde que eles voltaram com os cães. Tom e Jules passavam dez, doze horas por dia treinando os animais. Primeiro dentro da casa e, depois, no jardim. Cães-guia. A caixa de pássaros que está pendurada do lado de fora funciona como alarme. Exatamente para o que Tom disse que serviria. Os pássaros piaram quando Gary chegou. Eles cantam quando Cheryl os alimenta. Sendo assim, era só uma questão de tempo até Tom declarar que usaria os cães-guia para adentrar novamente o novo mundo.

No entanto, desta vez é pior. Porque desta vez ele vai mais longe.

Ficaram dois dias fora para percorrer um quarteirão. Quando os veremos de novo se andarem quase cinco quilômetros?

Cinco quilômetros. Essa é a distância até a casa de Tom. É até lá que ele quer ir.

— É o único lugar que posso garantir cem por cento — diz ele. — Tenho suprimentos lá. Precisamos deles. Band-Aids. Antibióticos. Aspirina. Curativos.

O ânimo de Malorie aumenta com a menção a remédios. No entanto, a saída de Tom, e por tanto tempo, é demais para ela aguentar.

— Não se preocupe — disse Felix naquela mesma noite. — Mapeamos tudo com precisão. Tom e Jules vão caminhar no ritmo de uma música. Uma única música. Chama-se "Halfway to Paradise" e é de um cara chamado Tony Light. Eles vão levar o toca-fitas e manterão a música tocando enquanto seguem as indicações de direção que estabelecemos. Sabemos quantos passos serão necessários para cada direção, em cada parte da viagem.

— Então o plano é dançar até lá? — perguntou Gary. — Que legal.

— Não vamos dançar — respondeu Tom, com uma entonação agressiva. — Vamos andar para procurar ajuda.

— Tom — começou Cheryl —, você pode treinar o quanto quiser, mas, se seus passos forem um centímetro maiores lá fora, não vai dar certo. Vão se perder. E como vão voltar, porra? Não vão.

— Vamos, sim — retrucou Tom.

— E não é como se fôssemos ficar indefesos se nos perdermos — acrescentou Jules. — Precisamos desses suprimentos. Você sabe melhor do que a maioria aqui, Cheryl. Você fez o último balanço da comida.

É, esse dia chegaria. Mas Malorie não gosta nem um pouco disso.

— Tom — disse ela, puxando-o para um canto, pouco antes de ele e Jules saírem pela manhã. — Acho que a casa não vai aguentar se você não voltar.

— Nós vamos voltar.

— Eu sei que você acha que vai — explicou Malorie. — Mas acho que não tem noção do quanto esta casa precisa de você.

— Malorie — começou ele, enquanto Jules dizia que estava pronto para ir. — A casa precisa de todos nós.

— Tom.

— Não deixe o nervosismo dominá-la como da última vez. Em vez disso, lembre-se de que a gente voltou. Vamos voltar de novo. E, dessa vez, Malorie, aja como líder. Ajude a todos quando ficarem com medo.

— Tom.

— Você precisa dos remédios, Malorie. Para a esterilização. Logo, logo vai dar à luz.

Ficou claro que Tom estava numa missão própria, preparado para arriscar sua vida repetidas vezes com o objetivo de melhorar a vida na casa.

Da última vez, eles voltaram com sapatinhos de criança, recorda Malorie.

E ela tenta se lembrar disso agora. Agora que Tom e Jules foram embora para embarcar numa caminhada de cinco quilômetros pela paisagem mais perigosa que o mundo já conheceu.

Eles saíram de manhã. Felix repassou o mapa com os dois mais uma vez. Gary os encorajou. Olympia lhes deu um pedaço de coral fossilizado que disse que sempre lhe trouxe sorte. Mas Malorie não falou nada. Quando a porta da frente se fechou pela segunda vez atrás de Tom, Malorie não o chamou. Não o abraçou. Não se despediu.

Isso a aflige agora, apenas horas após a saída dos amigos.

No entanto, as poucas palavras que Tom lhe disse logo antes de sair estão funcionando. Sem ele ali, a casa precisa de uma força para liderá-la. Uma pessoa que consiga se manter calma apesar de toda a ansiedade, de tanto medo justificável.

Mas é difícil. Os moradores da casa não estão em um humor muito otimista.

Cheryl afirma que as chances de encontrar uma criatura são obviamente muito maiores numa caminhada de cinco quilômetros do que em um passeio por duas quadras. Ela lembra que ninguém sabe como os animais são afetados. O que vai acontecer com Tom e Jules se os huskies virem alguma coisa dessa vez? Serão comidos? Ou coisa pior?

Cheryl não é a única a considerar cenários terríveis.

Don sugere que um grupo alternativo se prepare para sair caso Tom e Jules não voltem. *Precisamos de mais comida*, diz ele. *Caso eles voltem ou não.*

Olympia diz que está com dor de cabeça. Afirma que é sinal de que uma tempestade está vindo. E uma tempestade vai alterar as medidas de Felix quando Tom e Jules forem forçados a procurar abrigo.

Cheryl concorda.

Don desce até o porão para "dar uma olhada" no estoque, a fim de descobrir exatamente do que precisam e aonde têm que ir para conseguir.

Olympia fala sobre relâmpagos e sobre estar do lado de fora sem proteção.

Cheryl conversa com Felix a respeito do mapa. Ela diz que mapas não significam mais nada hoje em dia.

Don fala sobre a organização dos quartos.

Olympia descreve um tornado que ocorreu quando ela era jovem.

Cheryl e Felix começam a discutir.

Olympia soa um pouco histérica.

Don está ficando irritado.

Malorie, cansada do pânico crescente, resolve, por fim, se manifestar:

— Pessoal — diz —, há coisas que poderíamos estar fazendo. Bem aqui dentro dessa casa. Temos que preparar o jantar. Ninguém levou o balde de merda para fora durante o dia todo. O porão pode ficar mais bem organizado do que está. Felix, você e eu podemos conferir o jardim e buscar ferramentas, alguma coisa que deixamos para trás. Alguma coisa que podemos usar. Cheryl, você tem que dar comida aos pássaros. Gary, Don, por que não fazem uns telefonemas? Liguem para qualquer combinação de números. Quem sabe alguém atende? Olympia, seria ótimo se você lavasse as roupas de cama. Fizemos isso na semana passada, mas, como tomamos poucos banhos por aqui, são as pequenas coisas, como lençóis limpos, que tornam o dia a dia mais suportável.

Os moradores da casa olham para Malorie como se ela fosse uma estranha. Por um instante, ela sente vergonha por se afirmar. Mas, então, aquilo funciona.

Gary anda em silêncio até o telefone. Cheryl vai até a porta do porão.

Logo, logo vai dar à luz, disse Tom a ela antes de sair.

Malorie pensa nisso enquanto os moradores se ocupam com suas tarefas, e ela e Felix vão pegar as vendas. Pensa nas coisas que Jules e Tom podem trazer. Será que há alguma coisa, *qualquer coisa,* que eles possam trazer que faça o bebê dela ter uma vida melhor?

Ao pegar uma venda, Malorie se sente esperançosa.

trinta e três

O rio vai se dividir em quatro canais, disse o homem. *O que você precisa pegar é o segundo à direita. Então não adianta se agarrar à margem direita e torcer para dar certo. É complicado. E você vai ter que abrir os olhos.*

Malorie está remando.

E é assim que você vai saber que chegou a hora, explicou o homem. *Vai ouvir uma gravação. Uma voz. Não podemos ficar o dia todo na beira do rio. É perigoso demais. Em vez disso, instalamos um alto-falante lá. A gravação toca sem parar. Você vai ouvir. É alta. Clara. E, quando ouvir, vai ter que abrir os olhos.*

A dor no ombro vem em ondas. As crianças, ao ouvirem a mãe resmungar, oferecem ajuda.

No primeiro ano que passou sozinha com as crianças, ela ouvia a voz de Tom o tempo todo. Tantas ideias dele foram apenas enunciadas, nunca realizadas. Malorie, sem nada para fazer, tentou concretizar muitas delas.

A gente deveria colocar microfones no jardim, disse ele uma vez.

A ideia de Tom era aprimorar o sistema de alarme dos pássaros para amplificadores. Malorie, sozinha com dois recém-nascidos, queria os microfones.

Mas como? Como ela conseguiria microfones, amplificadores e fios encapados?

Podemos ir de carro até algum lugar, disse Tom um dia.

Isso é maluquice, respondeu Don.

Não, não é. É só dirigir devagar. As ruas estão vazias. Qual é a pior coisa que pode acontecer?

Enquanto rema, Malorie se lembra de um momento decisivo no espelho do banheiro. Ela vira outros rostos espelhados. Olympia. Tom. Shannon. Todos imploravam, pedindo-lhe que saísse da casa, que fizesse *alguma coisa* para melhorar a segurança das crianças. Teria que arriscar a própria segurança. Tom e Jules não estavam lá para fazer isso por ela.

A voz de Tom naquela época... Sempre a voz de Tom. Na cabeça de Malorie. No quarto. No espelho.

Reforce os para-choques do jipe de Cheryl. Pinte as janelas de preto. Não se preocupe com o que atropelar. Apenas continue. Dirija a dez, doze quilômetros por hora. Agora você tem bebês em casa, Malorie. Precisa saber se alguma coisa estiver à espreita. Se alguma coisa estiver por perto. Os microfones vão ajudá-la a descobrir isso.

Ao sair do banheiro, ela foi até a cozinha. Então estudou o mapa que Felix, Jules e Tom haviam usado certa vez para planejar o caminho até a casa de Tom a pé. Ainda havia as anotações deles no papel. Os cálculos de Felix. Usando a escala, ela fez seus próprios cálculos.

Queria o sistema de alarme avançado de Tom. Precisava disso. No entanto, apesar da determinação recém-descoberta em si mesma, não sabia para onde ir.

Certa noite, bem tarde, enquanto os bebês dormiam, ela se sentou à mesa da cozinha e tentou se lembrar da primeira vez que dirigira até a casa. Fazia menos de um ano. Na época, sua mente se concentrara no endereço do anúncio. Mas por quais lugares ela passara no caminho?

Ela tentava se lembrar.

Uma lavanderia.

Ótimo. O que mais?

As vitrines estavam vazias. Parecia uma cidade-fantasma e você estava preocupada com a possibilidade de as pessoas que haviam publicado o anúncio não estarem mais na casa. Achou que talvez tivessem enlouquecido ou colocado tudo no carro e dirigido para bem longe.

Isso, muito bem. O que mais?

Uma padaria.

Ótimo. O que mais?

O que mais?

É.

Um bar.

Muito bem. O que estava escrito na fachada?

Não sei. Que pergunta ridícula!

Você não se lembra da tristeza que sentiu ao ver o nome da... O nome da...

Do quê?

O nome da banda?

Da banda?

Você leu o nome de uma banda que se apresentaria numa data, duas semanas antes. Qual era?

Nunca vou me lembrar do nome da banda.

Tudo bem, mas e da sensação?

Não me lembro.

Lembra, sim. Da sensação.

Eu estava triste. Assustada.

O que eles faziam lá?

O quê?

No bar. O que eles faziam lá?

Não sei. Bebiam. Comiam.

Isso. E o que mais?

Dançavam?

Dançavam.

Isso.

E?

E o quê?

Como eles dançavam?

Não sei.

Dançavam ao som de quê?

De música. Da banda.

Malorie levou a mão à testa e sorriu.

Isso. Eles dançavam ao som da banda.

E a banda precisava de microfones. A banda precisava de amplificadores.

As ideias de Tom permaneciam na casa feito fantasmas.

Faça como nós, diria ele. *Como Jules e eu no dia em que demos uma volta no quarteirão. Você não podia participar de muitas daquelas atividades, Malorie, mas agora pode. Jules e eu saímos para procurar cachorros e depois os usamos para chegar à minha casa. Pense nisso, Malorie. Tudo meio que se seguiu, cada passo permitiu que o seguinte acontecesse. Tudo porque não ficamos parados. Nós corremos riscos. Agora você tem que fazer o mesmo. Pinte o para-brisa de preto.*

Don havia rido quando Tom sugerira dirigir às cegas.

Mas foi exatamente isso que ela fez.

Victor a ajudaria. Jules uma vez impedira que o cachorro fosse usado daquela maneira. Mas Malorie tinha dois recém-nascidos no quarto no fim do corredor. As regras eram diferentes agora. Seu corpo ainda doía por causa do parto. Os músculos das suas costas estavam sempre tensos. Quando se mexia rápido demais, parecia que sua virilha poderia arrebentar. Ficava exausta com facilidade. Nunca tivera o descanso que toda nova mãe merece.

Victor, pensou então, *ele vai proteger você.*

Ela pintou o para-brisa de preto com a tinta que tinha no porão. Prendeu meias e suéteres na parte interna do vidro. Usando a cola para madeira que achou na garagem e a fita adesiva que estava no porão, prendeu cobertores e colchões nos para-choques. Tudo isso na rua. Tudo isso vendada. Tudo isso enquanto sofria com a dor de ser uma nova mãe, punida a cada movimento de seu corpo.

Ela teria que deixá-los em casa. Iria sozinha.

Dirigiria quatrocentos metros na direção oposta da que tinha vindo. Viraria à esquerda e seguiria por mais seis quilômetros. Depois viraria à direta e dirigiria por outros quatro quilômetros. Ela teria que procurar o bar a partir dali. Levaria comida para Victor. Ele a guiaria de volta para o carro, de volta para a comida, quando ela precisasse.

Dez a doze quilômetros por hora parecia razoável. Seguro o bastante.

Mas, na primeira vez em que tentou, descobriu como seria difícil.

Apesar das precauções, dirigir sem enxergar era assustador. O jipe chacoalhava violentamente enquanto ela passava por cima de coisas que nunca conseguiria identificar. Bateu na calçada umas vinte vezes. Em duas, atingiu postes. Uma vez bateu em um carro estacionado. Era puro suspense, horrível. A cada giro do hodômetro, ela esperava uma colisão, um ferimento. Uma tragédia. Quando retornou para casa, os nervos estavam em frangalhos. Voltara de mãos vazias e duvidava de que teria coragem para tentar de novo.

Mas tentou.

Ela encontrou a lavanderia na sétima tentativa. E, como se lembrava de tê-la visto na primeira vez que dirigiu até a casa, aquilo deu a Malorie coragem para tentar de novo. Vendada e assustada, ela entrou em uma loja de botas, num café, numa sorveteria e num teatro. Ouviu seus sapatos ecoarem no chão de mármore da recepção de um escritório. Derrubou uma prateleira cheia de cartões no chão. Mesmo assim, não conseguiu encontrar o bar. Então, no nono dia à tarde, Malorie entrou por uma porta de madeira destrancada e imediatamente soube que havia chegado.

O cheiro de frutas azedas, de fumaça seca e de cerveja foi mais acolhedor do que qualquer um que já sentira. Ajoelhando-se, ela abraçou Victor pelo pescoço.

— Encontramos — disse.

Seu corpo estava dolorido. A cabeça doía. A boca estava seca. Imaginava sua barriga como um balão murcho, morto.

Mas havia chegado.

Ela passou muito tempo procurando o balcão do bar. Esbarrando em cadeiras, bateu o cotovelo com força numa pilastra. Tropeçou uma vez, mas uma mesa evitou que ela caísse no chão. Passou bastante tempo tentando entender o equipamento com os dedos. Será que ali era a cozinha? Será que aquilo era usado para misturar os drinques? Victor a puxou, brincando, e ela se virou e bateu a barriga em algo duro. Era o bar. Depois de amarrar a coleira de Victor no que acreditava ser um banco de metal, Malorie entrou atrás do balcão e tateou as garrafas. Cada movimento era uma lembrança de quão recente tinha sido seu parto. Uma a uma, levou as garrafas ao nariz. Uísque. Algo de pêssego. Algo de limão. Vodca. Gim. E, por fim, rum. O mesmo que os moradores da casa haviam tomado na noite em que Olympia chegara.

Era bom sentir aquilo nas mãos. Como se ela tivesse esperado mil anos para segurar aquela garrafa.

Ela a carregou consigo por todo o bar. Ao encontrar o banco, sentou-se, levou a garrafa à boca e bebeu.

O álcool se espalhou pelo corpo de Malorie. E, por um instante, aliviou a dor.

Na sua escuridão particular, se deu conta de que uma criatura poderia estar sentada no bar ao lado dela. Talvez o lugar estivesse cheio delas. Três por mesa. Observando-a em silêncio. Observando a mulher vendada, desesperada, e o seu cão-guia. Mas, naquele instante, por um segundo, ela não se importou.

— Victor — chamou. — Quer um pouco? Precisa de um gole?

Nossa, aquilo era bom.

Ela bebeu outro gole, lembrando-se de como uma tarde em um bar podia ser maravilhosa. Esqueça os bebês, esqueça a casa, esqueça tudo.

— Victor, isso é bom.

Mas o cachorro, notou ela, estava inquieto. Puxava a coleira presa ao banco.

Malorie bebeu de novo. E Victor choramingou.

— Victor? O que foi?

O cão puxava a coleira com mais força. Estava choramingando, e não rosnando. Malorie o escutou. Parecia ansioso demais. Ela se levantou, o desamarrou e deixou-o guiá-la.

— Para onde estamos indo, Victor?

Ela sabia que ele a estava levando de volta para a porta por onde haviam entrado. Os dois esbarraram em mesas pelo caminho. As patas de Victor escorregaram nos ladrilhos e Malorie bateu a canela numa cadeira.

O cheiro era mais forte ali. O cheiro do bar. E só.

— Victor?

O cão havia parado. Então começou a arranhar algo no chão.

É um rato, pensou Malorie. *Deve haver muitos aqui.*

Ela fez um movimento circular com o pé, examinando a área, e bateu em algo pequeno e duro. Puxando Victor para o lado, tateou o chão com cuidado.

Pensou nos bebês e em como morreriam sem ela.

— O que é isso, Victor?

Era uma espécie de anel. Parecia de aço. Havia uma pequena corda. Examinando-a, vendada, Malorie entendeu o que era. Ela se levantou.

— É a porta do porão, Victor.

O cachorro respirava ofegante.

— Vamos deixá-la fechada. Temos que pegar algumas coisas aqui.

Mas Victor a puxou de novo.

Pode ter gente lá embaixo, pensou Malorie. *Escondida. Morando lá embaixo. Pessoas que poderiam ajudá-la a criar os bebês.*

— Olá! — chamou ela.

Mas não houve resposta.

Suor escorria por baixo da sua venda. As unhas de Victor arranhavam a madeira. O corpo de Malorie pareceu se partir ao meio quando ela se ajoelhou e puxou a porta.

O cheiro que subiu a sufocou. Malorie sentiu o rum voltar à boca e vomitou, ainda parada ali.

— Victor — disse, ofegante. — Tem alguma coisa apodrecendo lá embaixo. *Alguma coisa...*

Então ela sentiu um medo realmente escaldante. Não o tipo de medo que uma mulher sente enquanto dirige com um para-brisa pintado de preto, mas o tipo que acomete uma pessoa vendada que, de repente, percebe que há mais alguém no mesmo cômodo.

Ela estendeu a mão para fechar a porta, temendo a possibilidade de tropeçar, cair no porão e encontrar o que quer que houvesse lá no fundo. O fedor não era de comida podre. Não era de bebida estragada.

— Victor!

O cachorro a puxava, louco para ir até a fonte daquele cheiro.

— Victor! *Pare!*

Mas ele continuou.

Esse é o cheiro de uma cova. Da morte.

Depressa, desesperada, Malorie puxou Victor para fora daquele local e voltou para o bar. Então procurou uma pilastra. Encontrou uma de madeira. Amarrou a coleira a ela e segurou a cara do cachorro entre as mãos, implorando para que o animal se acalmasse.

— Temos que voltar para os bebês — disse. — Você *tem que* se acalmar.

Mas a própria Malorie precisava se acalmar.

Nunca conseguimos entender como os animais são afetados. Nunca descobrimos isso.

Ela se virou, mesmo sem enxergar, para o corredor que levava ao porão.

— Victor — disse, os olhos cheios de lágrimas. — O que você viu lá embaixo?

O cão estava parado. Ofegante. Ofegante demais.

— Victor?

Ela se levantou e se afastou dele.

— Victor. Só vou andar um pouco por aqui. Vou procurar os microfones.

Uma parte de Malorie começou a morrer. Era como se ela mesma estivesse enlouquecendo. Pensou em Jules. Ele amava aquele cachorro mais do que a si mesmo.

Aquele cão era a última e única ligação que Malorie tinha com quem morou na casa.

Victor soltou um rosnado atormentador. Era um som que ela nunca ouvira. De nenhum cachorro da Terra.

— Victor. Sinto muito por termos vindo aqui. Sinto muito mesmo.

O cão se movimentou violentamente e Malorie achou que ele tivesse se soltado. A viga de madeira se partiu.

Victor latiu.

Malorie, recuando, sentiu algo, uma espécie de plataforma, atrás dos joelhos cansados.

— Victor, não. *Por favor*. Sinto muito.

O cachorro balançou o corpo, batendo em uma mesa.

— Ai, meu Deus! VICTOR! Pare de *rosnar*! *Pare! Por favor!*

Mas Victor não conseguia parar.

Malorie tateou a plataforma acarpetada atrás dela. Arrastou-se até ela, com medo de dar as costas para o que Victor tinha visto. Encolhida e tremendo, ouviu o cachorro enlouquecer. O barulho do animal fazendo xixi. O som dos dentes batendo uns nos outros enquanto ele mordia o ar vazio.

Malorie gritou. Por instinto, procurou uma ferramenta, uma arma e percebeu que suas mãos agarraram uma pequena haste de metal.

Lentamente, ela se levantou, tateando o objeto.

Victor mordeu o ar. Outra vez. Parecia que seus dentes estavam se quebrando.

Na ponta da haste de metal, os dedos de Malorie cobriram um objeto curto e oblongo. Na extremidade, sentiu algo que parecia uma rede de metal.

Ela arquejou.

Estava em cima da plataforma. E segurava nas mãos o que tinha vindo buscar. Ela segurava um microfone.

Ouviu o osso de Victor se quebrar. Os músculos e a pele tinham se rasgado.

— *Victor!*

Ela pôs o microfone no bolso e caiu de joelhos.

Mate o cachorro, pensou.

Mas ela não era capaz.

Malorie vasculhou obcecadamente o palco. Atrás dela, parecia que Victor havia mastigado a própria perna.

Seu corpo está em cacos. Victor está morrendo. Mas há dois bebês dentro de caixas em casa. Eles precisam de você, Malorie. Precisam de você precisam de você precisam de você.

As lágrimas encharcaram sua venda até escorrerem pelo rosto. Sua respiração vinha em ondas ofegantes. De joelhos, ela seguiu um fio até um pequeno objeto quadrado na ponta do palco. Encontrou mais três fios, que levavam a três outros microfones.

Victor produziu um ruído que nenhum cachorro deveria fazer. Parecia quase humano tamanho era o seu desespero. Malorie reunia todos os objetos que podia.

Os amplificadores, pequenos o bastante para serem carregados. Os microfones. Os fios. Um tripé.

— Sinto muito, Victor. Sinto muito, Victor. Desculpe.

Quando se levantou, Malorie achou que seu corpo não aguentaria. Pensou que, se usasse um pouco menos de força, cairia para sempre. Contudo, ficou de pé. Enquanto Victor continuava a se agitar, Malorie tateou o caminho com as costas encostadas na parede. Por fim, desceu do palco.

Victor viu alguma coisa. Onde estava aquilo agora?

Era impossível conter as lágrimas. Entretanto, uma sensação mais forte a invadiu: uma calma preciosa. A maternidade. Como se Malorie fosse uma estranha para si mesma e agisse apenas pelos bebês.

Ao atravessar o bar, ela se aproximou o bastante de Victor para sentir parte dele se esfregar na sua perna. Seria a lateral do corpo do cachorro? O focinho? Será que estava se despedindo? Ou teria jogado a própria língua para ela?

Seguindo pelo bar, Malorie voltou por onde haviam entrado. A porta aberta do porão estava próxima. Mas ela não sabia onde.

— FIQUE LONGE DE MIM! FIQUE LONGE DE MIM!

Lutando para carregar o equipamento, Malorie deu um passo adiante e não sentiu o chão sob seu sapato.

Perdeu o equilíbrio.

Quase caiu.

Então se aprumou.

Sua voz parecia a de um estranho enquanto gritava antes de sair do bar.

O sol pareceu quente em sua pele.

Ela andou depressa de volta para o carro.

Seus pensamentos estavam eletrizados. Tudo acontecia rápido demais. Ela escorregou na calçada de concreto e bateu com força no carro. Muito agitada, guardou depressa as coisas no porta-malas. Quando se sentou ao volante, desatou a chorar.

A crueldade. Aquele mundo. Victor.

A chave estava na ignição e Malorie ia virá-la.

Então, com o cabelo preto molhado de suor, ela hesitou.

Quais eram as chances de algo ter entrado no carro? Quais eram as chances de algo estar sentado ao lado dela, no banco do carona?

Se alguma coisa estivesse ali, ela a estaria levando para as crianças.

Para ir para casa, disse a si mesma (e até a voz em sua mente tremia, até a voz em sua mente parecia estar chorando), *você precisa olhar para o hodômetro de qualquer jeito.*

Ela agitou as mãos, às cegas, no carro. Seus braços bateram descontroladamente no painel, no teto, socaram as janelas.

Arrancou a venda.

Viu o para-brisa negro. Estava sozinha ali dentro.

Usando o hodômetro, dirigiu os mesmos quatro quilômetros de volta, depois seis até a rua Shillingham, depois mais quatrocentos metros até a casa, batendo em todos os meios-fios e placas no caminho. Estava a apenas oito quilômetros por hora. Pareceu uma eternidade.

Depois de estacionar, reuniu o que havia encontrado. Dentro de casa, com a porta fechada atrás dela, Malorie abriu os olhos e correu para o quarto dos bebês.

Estavam acordados. Os rostos, vermelhos. Chorando. Com fome.

Muito tempo depois, ela estava deitada, tremendo, no chão úmido da cozinha. Encarava os microfones e os dois pequenos amplificadores ao seu lado, lembrando-se dos barulhos que Victor havia feito.

Cachorros não são imunes. Cachorros podem enlouquecer. Cachorros não são imunes.

E, sempre que achava que pararia de chorar, ela recomeçava.

trinta e quatro

Malorie está no banheiro do segundo andar. É tarde e a casa está em silêncio. Os moradores estão dormindo.

Ela pensa na mala de Gary.

Tom pediu a ela que fosse uma líder na ausência dele. Mas a mala a incomoda. Assim como o interesse repentino de Don em Gary. Assim como tudo que Gary diz daquela maneira majestosa e artificial.

Bisbilhotar é errado. Quando pessoas são forçadas a viver juntas, a privacidade é essencial. Mas isso não é dever dela? Na ausência de Tom, não cabe a ela descobrir se suas suspeitas são verdadeiras?

Malorie presta atenção no corredor. Não há movimento algum na casa. Ao sair do banheiro, ela se vira para o quarto de Cheryl e vê a silhueta da moça, descansando. Ao dar uma espiada no quarto de Olympia, ouve um ronco leve. Em silêncio, Malorie desce a escada, apoiada no corrimão.

Ela entra na cozinha e acende a luz do fogão. É fraca e produz um zumbido baixo. Mas basta. Ao entrar na sala de estar, Malorie vê os olhos de Victor a encarando de volta. Felix dorme no sofá. O espaço no chão que costuma ser ocupado por Tom está vazio.

Passando pela cozinha, ela se aproxima da sala de jantar. A luz abafada do fogão é suficiente apenas para ela ver o corpo de Gary deitado no chão. Ele está de costas, dormindo.

É o que ela acha.

A mala está apoiada na parede, ao alcance da mão dele.

Devagar, Malorie atravessa a sala de jantar. O piso range sob o peso de seu corpo. Ela para e observa atentamente a boca aberta e barbada de Gary. Ele ronca um pouco, de forma lenta e regular. Prendendo a respiração, Malorie dá um último passo até o homem e para. Acima dele, ela o examina com cautela, sem se mexer.

Então se ajoelha.

Gary bufa. O coração de Malorie dá um pulo. Ela espera.

Para pegar a mala, ela precisa estender a mão por cima do peito dele. Seu braço passa a centímetros da camisa de Gary. Seus dedos agarram a alça quando o homem ronca de novo. Ela se vira.

Ele está olhando para ela.

Malorie fica paralisada. Analisa os olhos de Gary.

Expira devagar. Os olhos dele não estão abertos. As sombras a enganaram.

Rapidamente, ela ergue a mala, levanta-se e sai da sala.

Na porta do porão, Malorie para e escuta. Não ouve movimento algum vindo da sala de jantar. A porta se abre devagar e sem fazer barulho, mas Malorie não consegue evitar o rangido das dobradiças. Parece mais alto do que de costume. Como se a casa toda estivesse rangendo lentamente.

Com apenas espaço suficiente para entrar, ela desliza para dentro. A casa fica em silêncio de novo.

Ela desce devagar a escada até o chão de terra.

Está nervosa. Leva tempo demais para encontrar a cordinha que acende a luz. Quando consegue, o cômodo é inundado por uma luz amarela brilhante. Brilhante demais. Parece que vai acordar Cheryl, que dorme dois andares acima dali.

Observando ao redor, ela espera.

Consegue ouvir a própria respiração cansada. Nada mais.

Seu corpo dói. Ela precisa descansar. Mas, agora, só quer saber o que Gary trouxe com ele.

Andando até o banquinho de madeira, ela se senta.

Abre a mala.

Dentro, vê uma escova de dentes gasta.

Meias.

Camisetas.

Uma camisa de botão.

Desodorante.

E papéis. Um caderno.

Malorie olha para a porta do porão. Tenta ouvir passos. Não há nenhum. Pega o caderno debaixo das roupas e põe a mala no chão.

O caderno tem uma capa azul, bem limpa. As pontas não estão retorcidas. É como se Gary o tivesse guardado, preservado, nas melhores condições que podia.

Ela o abre.

E lê.

A letra manuscrita é tão precisa que a assusta. É desenhada de forma meticulosa. Quem quer que tenha escrito fez aquilo com muita paixão. Com orgulho. Enquanto folheia as páginas, ela vê que umas sentenças foram redigidas da forma tradicional, da esquerda para a direita, outras na direção contrária, da direita para a esquerda. Algumas, no meio do caderno, começam no topo da página e descem. No fim, as frases giram em espirais precisas, ainda perfeitas, criando padrões e desenhos estranhos com palavras.

Conhecer o teto da mente humana é saber o poder total dessas criaturas. Se for uma questão de compreensão, com certeza então o resultado de qualquer encontro com elas deve ser muito diferente para cada homem. O meu teto é diferente do seu. Muito diferente dos macacos desta casa. Os outros, engolfados como estão nessa histeria hiperbólica, são mais suscetíveis às regras que aplicamos às criaturas. Em outras palavras, esses simplórios, com seus intelectos infantis, não vão sobreviver. Mas alguém como eu, bem, já comprovei meu argumento.

Malorie vira a página.

Que tipo de homem se acovarda quando o fim do mundo chega? Quando seus irmãos estão se matando, quando as ruas residenciais dos Estados Unidos estão infestadas de assassinatos... Que tipo de homem se esconde atrás de cobertores e vendas? A resposta é A MAIORIA dos homens. Disseram a eles que poderiam enlouquecer. Então eles enlouquecem.

Malorie olha para a escada do porão. A luz do fogão é visível através do pequeno espaço na fresta da porta. Ela acha que deveria tê-la apagado. Pensa em fazer isso agora. Então vira a página.

Fazemos isso com nós mesmos fazemos isso com nós mesmos FAZEMOS ISSO com NÓS MESMOS. Em outras palavras (guarde isto!): O HOMEM É A CRIATURA QUE ELE TEME.

É o caderno de Frank. Mas por que está com Gary?

Porque foi ele que escreveu, é claro.

Porque, Malorie sabe, Frank não arrancou as cortinas da antiga casa de Gary.

Foi Gary quem fez isso.

Malorie se levanta, o coração disparado.

Tom não está em casa. Tom está caminhando cinco quilômetros até a casa dele.

Ela encara a base da porta do porão. Vê a luz do fogão. Espera que a sombra de sapatos a obscureçam de repente. Procura uma arma nas prateleiras. Se ele vier, com o que pode matá-lo?

Mas nenhum sapato esconde a luz e Malorie aproxima o caderno do rosto. E então lê.

Falando racionalmente, com o objetivo de provar minha teoria a eles, não tenho escolha. Escreverei isso mil vezes até me convencer a fazê-lo. Duas mil. Três. Esses homens se negam a conversar. Apenas provas os convencerão. Mas como provarei a eles? Como farei com que acreditem?

Vou retirar as cortinas e destrancar as portas.

Nas margens estão anotações numeradas e os números correspondentes foram escritos com cuidado na parte de cima. Há uma nota 2.343. Esta é a 2.344. Interminável, incansável, brutal.

Malorie vira a página.

Um barulho vem do andar de cima.

Ela olha para a porta. Está com medo de piscar, de se mover. Então espera e observa.

Com os olhos na porta, ela pega a mala e guarda o caderno de volta embaixo das coisas de Gary. Está do lado certo? Era assim que estava antes?

Ela não sabe. *Ela não sabe.*

Malorie fecha a mala e puxa a cordinha da lâmpada.

Fecha os olhos e sente a terra fria sob seus pés. Volta a abrir os olhos. A escuridão absoluta é interrompida apenas pela luz do fogão que passa pela fresta sob a porta.

Ela a observa e espera.

Atravessa o porão, seus olhos se acostumando à escuridão enquanto sobe a escada com cuidado e pressiona a orelha na porta.

Fica ouvindo, respirando de forma irregular. A casa está em silêncio de novo.

Gary está parado na outra ponta da cozinha. Está observando a porta do porão. Quando você a abrir, ele vai lhe cumprimentar.

Ela espera. E espera. E não escuta nada.

Abre a porta. As dobradiças rangem.

Com a mala na mão, os olhos de Malorie vasculham a cozinha. O silêncio é alto demais.

Mas não há ninguém ali. Ninguém está esperando por ela.

Com a mão na barriga, Malorie se espreme pelo batente da porta e a fecha.

Olha para a sala de estar. Para a sala de jantar.

Para a sala de estar.

Para a de jantar.

Na ponta dos pés, passa pela cozinha e entra, por fim, na sala de jantar.

Gary ainda está deitado de costas. O peito dele sobe e desce. Ele resmunga baixinho.

Ela se aproxima. Ele se mexe. Ela espera.

Ele se mexeu...

Foi apenas o braço.

Malorie observa Gary, encarando seu rosto, seus olhos fechados. Depressa, ela se ajoelha ao lado dele, a centímetros de sua pele, e põe a mala apoiada na parede de novo.

Era deste lado que estava?

Ela a deixa ali. Levanta-se e sai correndo da sala. Na cozinha, sob o brilho da luz, os olhos de alguém encontram os dela.

Malorie fica paralisada.

É Olympia.

— O que você está *fazendo*? — sussurra Olympia.

— Nada — responde Malorie, ofegante. — Achei que tivesse deixado alguma coisa aqui.

— Tive um sonho horrível — afirma.

Malorie anda até ela, com os braços estendidos. Leva a amiga de volta para o andar de cima. As duas sobem a escada juntas. Já no topo, Malorie olha para baixo.

— Preciso contar ao Tom — diz.

— Sobre o meu sonho?

Malorie olha para Olympia e balança a cabeça.

— Não. Não. Desculpe. Não.

— Malorie?

— Oi.

— Você está bem?

— Olympia. Preciso do Tom.

— Bem, ele foi embora.

Malorie encara o pé da escada. A luz do fogão ainda está acesa. Parte dela se espalha pela sala de estar, de forma que se alguém entrasse na cozinha, vindo da sala de jantar, conseguiria ver a sombra das duas.

Ansiosa, ela observa intensamente o cômodo mal iluminado. Esperando. Pela sombra. Certa de que ela surgirá.

Enquanto observa, pensa no que Olympia acabou de dizer.

Tom foi embora.

Ela imagina a casa como se fosse uma grande caixa. Quer sair daquela caixa. Tom e Jules, mesmo do lado de fora, ainda estão *naquela* caixa. O planeta inteiro está trancado nela. O mundo está confinado à mesma caixa de papelão que abriga os pássaros do lado de fora. Malorie entende que Tom está procurando uma maneira de abrir a tampa. Busca uma saída. Mas ela se pergunta se não há outra tampa acima daquela, e depois mais uma.

Encaixotados, pensa. *Para sempre.*

trinta e cinco

Faz uma semana que Tom e Jules saíram para percorrer os cinco quilômetros com os huskies. Agora, mais do que tudo, Malorie quer os dois em casa. Quer ouvir uma batida na porta e sentir o alívio de tê-los de volta. Quer saber o que encontraram e ver o que trouxeram. Quer contar a Tom o que leu no porão.

Não voltou a dormir na noite anterior. Na escuridão do seu quarto, pensou apenas no caderno de Gary. Ela está no hall de entrada agora. Parece se esconder do resto da casa.

Não pode contar a Felix. Ele é capaz de fazer alguma coisa. Ele diria algo. Malorie quer que Tom e Jules estejam em casa caso ele faça isso. Felix precisaria dos dois.

Quem sabe do que Gary é capaz. *O que ele fez.*

Não pode conversar com Cheryl. Ela é temperamental e forte. Fica furiosa. Faria alguma coisa antes mesmo de Felix.

Olympia só ficaria com mais medo.

Ela não pode falar com Gary. Não vai. Não sem a presença de Tom.

No entanto, apesar da transformação dele, apesar do seu humor imprevisível, Malorie acha que talvez possa conversar com Don.

Há bondade nele, pensa. Sempre houve.

Gary tem sido o diabinho no ombro de Don há semanas. Don *precisava* de alguém assim na casa. Alguém que vê o mundo de um jeito mais parecido com o dele. No entanto, será que o ceticismo de Don não poderia ser útil nessa situação? Será que ele não imaginou, depois de todas as conversas que teve com Gary, que pode haver algo errado com o recém-chegado?

Gary dorme com a mala ao alcance da mão. Ele se preocupa com ela. Ele se importa e acredita no que está escrito ali.

Tudo naquele novo mundo é complicado, pensa ela, mas nada é tão difícil quanto a descoberta do caderno de Gary durante a ausência de Tom.

Ele pode ficar ausente por um bom tempo.

Pare.

Para sempre.

Pare.

Ele pode estar morto. Podem tê-lo matado na rua, bem ali perto de casa. O homem pelo qual você tanto espera pode estar morto há uma semana, a apenas um gramado de distância.

Não está. Ele vai voltar.

Talvez.

Vai.

Talvez.

Mapearam tudo com Felix.

O que Felix sabe?

Fizeram tudo juntos. Tom não correria o risco se não soubesse que tinha uma chance real de conseguir.

Lembra-se do vídeo a que George assistiu? Tom se parece muito com George.

PARE!

Mas parece. Ele idolatra o cara. E os cachorros?

Não sabemos se os cães são afetados.

Não. Mas podem ser. Imagine como seria. Um cachorro enlouquecendo.

Por favor... não.

Pensamentos necessários. Visões necessárias. Tom pode não voltar.

Ele vai ele vai ele vai...

Mas, se não voltar, você vai ter que contar a outra pessoa.

Tom vai voltar.

Faz uma semana.

ELE VAI VOLTAR!

Você não pode contar a Gary. Fale com alguém primeiro.

Don.

Não. Não. Com ele, não. Felix. Don vai matar você.

O quê??

Don mudou, Malorie. Está diferente. Não seja tão inocente.

Ele não machucaria a gente.

Machucaria, sim. Mataria todos vocês com o machado do jardim.

PARE!!

Ele não liga para a vida. Mandou você cegar seu bebê, Malorie.

Ele não machucaria a gente.

Machucaria. Fale com Felix.

Felix vai contar para todo mundo.

Diga a ele para não fazer isso. Converse com Felix. Tom pode não voltar.

Malorie sai do hall. Cheryl e Gary estão na cozinha. Ele está à mesa, sentado, usando uma concha para tirar ervilhas de uma lata.

— Boa tarde — diz ele, daquela maneira que o faz parecer responsável pela tarde ser boa.

Malorie acha que ele percebeu. Acha que ele sabe.

Ele estava acordado ele estava acordado ele estava acordado.

— Boa tarde — responde ela.

Malorie anda até a sala de estar, deixando-o para trás.

Felix está sentado ao lado do telefone. O mapa está aberto na mesa lateral.

— Não entendo — diz, confuso.

Felix não parece bem. Não tem comido direito. As garantias que deu a Malorie uma semana antes não existem mais.

— Faz tanto tempo, Malorie. Sei que Tom saberia o que fazer lá fora... mas já faz tanto tempo.

— Você precisa pensar em outra coisa — afirma Cheryl, enfiando a cabeça para dentro da sala. — É sério, Felix. Pense em outra coisa. Ou simplesmente saia sem uma venda. De um jeito ou de outro, você está ficando maluco.

Felix exala o ar ruidosamente e passa a mão pelo cabelo.

Ela não pode contar a Felix. Ele está perdendo alguma coisa. Perdeu alguma coisa. Seus olhos estão sem brilho. Perdeu a sensibilidade, a racionalidade. A força.

Sem dizer nada, Malorie o deixa lá. Passa por Don no corredor. As palavras, o que descobriu no porão, ganham vida dentro dela. E quase conta.

Don, Gary não é legal. É perigoso. Guarda o caderno de Frank na mala.

O quê, Malorie?

É isso mesmo que acabei de dizer.

Você foi bisbilhotar? Vasculhou as coisas de Gary?

Sim.

Por que está me dizendo isso?

Don, só preciso contar a alguém. Você entende, não é?

Por que simplesmente não perguntou ao Gary? Ei, Gary!

Não. Ela não pode contar a Don. Don também perdeu alguma coisa. Ele pode ficar violento. Assim como Gary.

Um empurrão, pensa ela, *e você perde o bebê.*

Malorie imagina Gary no topo da escada que leva ao porão. O corpo dela ferido, sangrando, encolhido ao pé dos degraus.

Gosta de ler no porão, NÃO É?? Então morra aí embaixo com seu filho.

Atrás de si, Malorie ouve todos os moradores na sala de estar. Cheryl conversa com Felix. Gary fala com Don.

Malorie se vira para as vozes e se aproxima da sala.

Vai contar a todos.

Quando entra no cômodo, seu corpo parece ser feito de gelo. Está derretendo. Como se pedaços dela mesma caíssem e afundassem sob a pressão insuportável do que está por vir.

Cheryl e Olympia estão no sofá. Felix espera ao lado do telefone. Don senta na poltrona. Gary está de pé, encarando as janelas cobertas.

Quando Malorie abre a boca, Gary olha devagar por cima do ombro e encontra os olhos dela.

— Malorie — chama ele, objetivo —, quer dizer alguma coisa?

De repente, ela percebe com clareza que todos a encaram. Esperam que ela fale.

— É, Gary — responde ela. — Quero, sim.

— O que é? — pergunta Don.

As palavras estão presas em sua garganta. Elas sobem como se tivessem as pernas de uma centopeia, procurando seus lábios, buscando, por fim, uma saída.

— Alguém se lembra da história que Gary...

Malorie para. Ela e todos os outros olham para os cobertores.

Os pássaros estão piando.

— É Tom — diz Felix, desesperado. — Só *pode* ser!

Gary encara de novo os olhos de Malorie. Há uma batida na porta da frente.

Os moradores agem depressa. Felix corre para a porta. Malorie e Gary permanecem parados.

Ele sabe ele sabe ele sabe ele sabe ele sabe.

Quando Tom chama, Malorie está tremendo de medo.

Ele sabe.

Então, ao ouvir a voz de Tom, Gary a deixa ali e vai até o hall de entrada.

Depois de fazerem as perguntas de praxe e de todos fecharem os olhos, Malorie ouve a porta da frente se abrir. Uma lufada de ar frio entra e, com ela, a noção de quão perto Malorie esteve de confrontar Gary sem a presença de Tom.

Patas de cães tocam o piso do hall. Botas. Algo atinge o batente. A porta se fecha depressa. Há o som de vassouras arranhando as paredes. Tom fala. E a voz dele é uma salvação.

— O meu plano era ligar para vocês da minha casa. Mas a porra do telefone não estava funcionando.

— Tom — diz Felix, com desespero, apesar da fraqueza. — Eu sabia que vocês iam conseguir. Eu sabia!

Ao abrir os olhos, Malorie não está pensando em Gary. Não está visualizando as letras desenhadas com perfeição que habitam a mala.

Apenas vê que Tom e Jules estão em casa de novo.

— Invadimos um mercado — diz Tom. As palavras parecem impossíveis. — Alguém já tinha passado por lá. Mas conseguimos muitas coisas boas.

Ele parece cansado, mas bem.

— Os cachorros funcionaram — explica. — Guiaram a gente. — Está orgulhoso e feliz. — Mas peguei uma coisa na minha casa que espero que nos ajude ainda mais.

Felix o auxilia a tirar a mochila das costas. Tom a abre e tira algo que deixa cair no piso do hall.

É uma lista telefônica.

— Vamos ligar para todos os números que estão aqui — diz Tom. — Para cada um. E alguém vai atender.

É só uma lista telefônica, mas Tom já a transformou numa fonte de inspiração.

— Agora — pede ele —, vamos comer.

Animados, os outros arrumam a sala de jantar. Olympia pega os talheres. Felix enche os copos com água do balde.

Tom voltou.

Jules voltou.

— Malorie! — grita Olympia. — Tem carne de caranguejo enlatada!

Malorie, presa em algum lugar entre dois mundos, entra na cozinha e começa a ajudar com o jantar.

trinta e seis

Alguém os segue.

Não adianta perguntar a si mesma até que distância ainda terá que remar. Não sabe quando ouvirá a voz gravada avisando que ela chegou. Não sabe se a voz continua existindo. Agora apenas rema, apenas persiste.

Uma hora atrás, eles passaram pelo que pareciam leões brigando. Ouviram rugidos. Aves de rapina gritam ameaças do céu. Coisas grunhem e rosnam na floresta. A correnteza do rio está mais forte. Ela se lembra da tenda que Tom e Jules encontraram na rua de casa. Será que poderia haver alguma coisa assim, tão espantosamente fora de lugar, ali no rio? Será que eles poderiam colidir com isso... *agora*?

Ali, Malorie sabe, qualquer coisa é possível.

No entanto, agora, é algo muito mais concreto que a preocupa.

Alguém os segue. É, o Garoto também ouviu.

Um eco fantasma. Remadas que acompanham o ritmo dos remos dela.

Quem faria isso? Além do mais, se quisessem machucar Malorie e as crianças, por que não feriram os três quando ela desmaiou?

Será que é alguém que também está fugindo de casa?

— Garoto — pede Malorie, baixinho —, me diga o que puder sobre eles.

O Garoto ouve.

— Não sei, mamãe.

Ele parece envergonhado.

— Será que ainda estão aqui?

— Não sei!

— *Escute.*

Malorie pensa em parar. Em voltar. Enfrentar o som que escuta atrás de si.

A gravação toca sem parar. Você vai ouvir. É alta. Clara. E, quando ouvir, vai ter que abrir os olhos.

O que os segue?

— Garoto — chama ela de novo. — Me diga o que puder sobre eles.

Malorie para de remar. A água corre em torno do barco.

— Não sei o que é — diz o Garoto.

Mesmo assim, Malorie espera. Um cachorro late na margem direita. Um segundo latido responde.

Cães selvagens, pensa Malorie. *Mais lobos.*

Ela começa a remar de novo. Pergunta outra vez ao Garoto o que ele está ouvindo.

— Desculpe, mamãe! — grita ele com a voz chorosa, envergonhado.

Ele não sabe.

Faz anos desde que o Garoto não conseguiu identificar um som. O que está ouvindo é algo que nunca tinha escutado.

Mas Malorie ainda acredita que ele possa ajudar.

— A que distância estão? — pergunta.

Mas o Garoto está chorando.

— Não consigo!

— *Fale baixo!* — sibila ela.

Alguma coisa grunhe na margem esquerda. Parece um porco. Então outro. E mais um.

O rio parece estreito demais. As margens, próximas demais.

Será que há algo seguindo eles?

Malorie rema.

trinta e sete

Pela primeira vez desde que chegou à casa, Malorie sabe de algo que os outros não sabem.

Tom e Jules acabaram de voltar. Enquanto os moradores preparavam o jantar, Tom levou o novo estoque de enlatados para o porão. Malorie foi encontrá-lo lá embaixo. Talvez Gary tenha guardado o caderno porque queira estudar o que Frank escreveu. Ou talvez ele mesmo tenha escrito tudo aquilo. Mas Tom precisava saber. Nesse momento.

À luz do porão, ele parecia cansado, mas vitorioso. Seu cabelo claro estava sujo. O rosto, mais envelhecido do que da primeira vez em que ela esteve ali com ele. Emagrecera. Metodicamente, retirava latas da mochila dele e da de Jules e as colocava nas prateleiras. Quando começou a falar sobre como foi entrar no mercado, do fedor de tanta comida estragada, Malorie encontrou sua oportunidade.

No entanto, quando estava prestes a falar, a porta do porão se abriu.

Era Gary.

— Gostaria de ajudar se puder — disse, do topo da escada.

— Tudo bem — respondeu Tom. — Desça aqui então.

Malorie saiu assim que os pés de Gary tocaram no chão de terra.

Estão todos sentados à mesa de jantar. E Malorie continua esperando uma oportunidade.

Tom e Jules descrevem com calma a semana que tiveram. Os fatos são incríveis, mas a cabeça de Malorie está concentrada em Gary. Ela tenta agir normalmente. Ouve o que os amigos dizem. Cada minuto que passa é mais um em que Tom não sabe que Gary pode ser uma ameaça para os outros.

A sensação é de que ela e os demais estão invadindo o espaço de Gary. Como se Gary e Don tivessem a decência de convidá-los à sala de jantar *deles*, o lugar favorito dos dois para ficarem sussurrando. Ambos haviam passado tanto tempo ali que o cômodo estava com o cheiro deles. Será que teriam se juntado ao grupo se o jantar fosse servido na sala de estar? Malorie acha que não.

Enquanto Tom descreve como foi andar cinco quilômetros vendado, Gary mostra-se amável, simpático, faz perguntas. E, toda vez que ele abre a boca, Malorie quer gritar e pedir que pare. *Conte primeiro a verdade*, quer dizer.

No entanto, ela espera.

— Então você diria — começa a perguntar Gary, a boca cheia de carne de caranguejo — que agora está convencido de que os animais não são afetados?

— Não, eu não diria isso — responde Tom. — Ainda não. Talvez a gente não tenha passado por nada que eles pudessem ver.

— Isso é pouco provável — afirma Gary.

Malorie quase grita.

Tom então anuncia que tem outra surpresa para todos.

— A sua mochila parece uma verdadeira caixinha de surpresas — comenta Gary, sorrindo.

Quando Tom volta, está carregando uma pequena caixa marrom. De dentro dela, tira oito buzinas de bicicleta.

— Pegamos isso no mercado — diz. — Na seção de brinquedos.

Ele as distribui.

— A minha tem meu nome escrito — diz Olympia.

— Todas têm — explica Tom. — Eu escrevi, vendado, com um marcador.

— Para quê? — indaga Felix.

— Estamos rumando para uma vida na qual passaremos mais tempo fora desta casa — responde Tom, sentando-se. — Podemos nos comunicar com isso.

De repente, Gary aperta a buzina. Soa como um ganso. Então a sala parece ter sido invadida por um bando de gansos, quando todos apertam as buzinas caoticamente.

As olheiras de Felix se esticam quando ele sorri.

— E *isto* — diz Tom — é o ***grand finale***.

Ele enfia a mão na mochila e tira uma garrafa. É de rum.

— Tom! — exclama Olympia.

— Essa era a verdadeira razão pela qual eu queria voltar para minha casa — brinca ele.

Malorie, ao ver os amigos rirem, ao ver seus rostos sorridentes, não consegue mais aguentar.

Ela se levanta e bate as palmas das mãos na mesa.

— Vasculhei a mala do Gary — diz. — Encontrei o caderno sobre o qual ele nos contou. O que fala sobre arrancar os cobertores das janelas. O que ele disse que Frank levou embora.

A sala fica em silêncio. Todos os outros olham para Malorie, que está com as bochechas vermelhas de calor. O suor cobre sua testa.

Tom, ainda segurando a garrafa de rum, analisa o rosto de Malorie. Então se vira lentamente para Gary.

— Gary?

Ele olha para a mesa.

Ele está ganhando tempo, pensa Malorie. *O babaca está ganhando tempo para pensar.*

— Bem — começa Gary —, não sei o que dizer.

— Você revistou as coisas de alguém? — pergunta Cheryl, levantando-se.

— Sim. Revistei. Sei que isso viola as regras da casa. Mas precisamos conversar sobre o que encontrei.

O cômodo fica em silêncio de novo. Malorie ainda está de pé. Ela se sente elétrica.

— Gary? — insiste Jules.

Ele se apoia no encosto da cadeira. Respira fundo. Cruza os braços. Depois os descruza. Parece sério. Irritado. Então sorri. Levanta-se e vai até a mala. Pega-a e a põe na mesa.

Os outros olham para a mala, mas Malorie observa o rosto de Gary.

Ele abre a mala, então tira o caderno.

— É — afirma Gary. — Estou *mesmo* com o caderno. Estou com o caderno do Frank.

— Do Frank? — repete Malorie.

— É — afirma Gary, virando-se para ela. Depois, mantendo a forma teatral e cavalheiresca de falar, acrescenta: — Sua fuxiqueirazinha.

De repente, todos começam a falar ao mesmo tempo. Felix quer ver o caderno. Cheryl quer saber quando Malorie o encontrou. Don aponta o dedo para Malorie e grita.

Em meio ao caos, Gary, ainda olhando para Malorie, diz:

— Sua *vagabunda* grávida e paranoica.

Jules o ataca. Os cães latem. Tom se mete entre os dois. Berra para que todos parem. Que parem com isso. Malorie não se mexe. Ela encara Gary.

Jules cede.

— Ela precisa explicar isso *agora mesmo* — explode Don.

Ele se levantou num pulo e está apontando com raiva para Malorie.

Tom olha para ela.

— Malorie? — pede.

— Não confio nele.

Os moradores esperam mais explicações.

— O que está escrito no caderno? — pergunta Olympia.

— Olympia! — exclama Malorie. — O caderno *está bem aí*. Leia você mesma, porra.

Mas Felix já o pegou.

— Por que você guardaria uma lembrança do homem que pôs a sua vida em risco? — questiona ele.

— É *exatamente* por isso que guardo o caderno — diz Gary, insistente. — Queria saber o que Frank pensava. Morei com ele por semanas e nunca suspeitei de que o cara seria capaz de tentar nos matar. Talvez eu tenha guardado o caderno como um aviso. Para garantir que eu não começaria a pensar como ele. Para garantir que nenhum de vocês começaria a pensar assim também.

Malorie balança a cabeça vigorosamente.

— Você nos disse que Frank levou o caderno — afirma ela.

Gary começa a responder. Então para.

— Não tenho uma boa resposta para isso — diz. — Talvez eu tenha achado que vocês ficariam com medo se soubessem que eu o tinha trazido. Podem pensar o que quiser, mas eu gostaria que confiassem em mim. Não a culpo por revistar a mala de um estranho, dadas as circunstâncias em que todos estamos vivendo. Mas pelo menos deixe que eu me defenda.

Tom está dando uma olhada no caderno. As palavras se arrastam sob seus olhos.

Don o pega em seguida. Sua expressão irritada aos poucos se torna confusa.

Então, como se Malorie soubesse de algo maior do que qualquer votação pudesse resolver, ela aponta para Gary e diz:

— Você não pode mais ficar aqui. Precisa *ir embora*.

— Malorie — pede Don, com pouca convicção —, por favor. O cara está se explicando.

— Don — diz Felix —, você ficou maluco, porra?

Com o caderno ainda nas mãos, Don se vira para Gary.

— Gary, você com certeza sabe como isso parece ruim.

— Claro. É claro que sim.

— Essa não é a sua letra? Pode provar isso?

Gary pega uma caneta da mala e escreve o próprio nome numa página do caderno.

Tom olha para a palavra por um segundo.

— Gary — começa ele —, o restante de nós precisa conversar. Pode ficar sentado aqui se quiser. Vai nos escutar da outra sala de qualquer maneira.

— Entendo — afirma Gary. — Você é o capitão desse navio. Farei o que quiser.

Malorie quer bater nele.

— Tudo bem — diz Tom com calma para os outros. — O que vamos fazer?

— Ele tem que ir embora — afirma Cheryl, sem hesitar.

Então Tom começa a votação.

— Jules?

— Ele não pode ficar aqui, Tom.

— Felix?

— Minha vontade é dizer não. É dizer que não podemos votar para expulsar alguém. Mas não há razão alguma para ele ter esse caderno.

— Tom — diz Don —, desta vez não estamos votando para que alguém que queira sair vá embora. Estamos decidindo se vamos *forçar* alguém a sair. Quer isso na sua consciência?

Tom se vira para Olympia.

— Olympia?

— Tom — pede Don.

— Você já votou, Don.

— Não podemos forçar alguém a sair, Tom.

O caderno continua na mesa. Aberto. As palavras estão sendo exibidas em sua perfeição.

— Sinto muito, Don — diz Tom.

Don se vira para Olympia, torcendo.

Mas ela não responde. E não importa. A casa falou.

Gary se levanta. Pega o caderno e o põe de volta na mala. Fica de pé atrás da cadeira e ergue o queixo. Respira fundo. Assente com a cabeça.

— Tom, será que posso ficar com um dos seus capacetes? De um vizinho para outro — pede ele.

— É claro — responde Tom, baixinho.

Então ele sai da sala. Volta com um capacete e um pouco de comida. Entrega tudo a Gary.

— É simplesmente assim que funciona, então? — pergunta Gary, ajustando a tira do capacete.

— Isso é *horrível* — lamenta Olympia.

Tom ajuda Gary a pôr o capacete. Depois o leva até a porta da frente. Os outros, formando um grupo, os seguem.

— Acho que todas as casas deste quarteirão estão vazias — explica Tom. — Pelo que Jules e eu descobrimos. Pode escolher qualquer uma.

— É — diz Gary, abrindo um sorriso nervoso sob a venda. — Imagino que isso seja um incentivo.

Malorie, ardendo por dentro, observa Gary cuidadosamente.

Quando fecha os olhos, quando todos fecham, ela ouve a porta da frente se abrir e se fechar. E, no meio-tempo, acredita ter ouvido os passos de Gary no gramado. Ao abrir os olhos de novo, Don não está mais parado no hall com os outros. Ela acha que ele foi embora com Gary. Então ouve algo se mover na cozinha.

— Don?

Ele resmunga. Ela sabe que é ele.

Don murmura algo antes de abrir e bater a porta do porão.

Outro palavrão. Direcionado a Malorie.

Enquanto os outros se dispersam em silêncio pela casa, ela entende a severidade do que fizeram.

Parece que Gary está em todos os cantos lá fora.

Ele foi banido. Excluído.

Expulso.

O que é pior?, pergunta a si mesma. *Tê-lo aqui, onde poderíamos ficar de olho nele, ou tê-lo lá fora, onde não temos como fazer isso?*

trinta e oito

Será que Gary está seguindo você?

O som de alguém atrás deles, distante, mas ao alcance dos ouvidos, continua.

Ele está tentando assustar você. Poderia ultrapassar o barco a qualquer momento.

Gary.

Isso foi há quatro anos!

Será que ele teria esperado quatro anos para se vingar?

— Mamãe — sussurra o Garoto.

— O que foi?

Ela teme o que ele vai dizer.

— O som está se aproximando.

Onde Gary esteve nos últimos quatro anos? De olho em você. Esperando do lado de fora da casa. Ele viu as crianças crescerem. Observou o mundo ficar mais frio, mais sombrio, até a neblina baixar, aquela que você pensou, estupidamente, que os esconderia. Ele viu através dela. Através da neblina. Viu tudo o que você fez. Ele VIU você, Malorie. Tudo o que você fez.

— *Droga!* — grita ela. — *Isso é impossível!*

Então, virando o pescoço, seus músculos resistindo, berra:

— *Deixe a gente em paz!*

A remada já não é mais a mesma. Não está como quando saíram de casa, quando ela tinha dois ombros fortes. Um coração cheio de energia. Quatro anos para impulsioná-la.

Por tudo que enfrentou, ela se recusa a acreditar na possibilidade de Gary estar atrás dela. Seria uma reviravolta muito cruel. Um homem vivendo do lado de fora durante todos esses anos. Não uma criatura, mas um *homem.*

O HOMEM É A CRIATURA QUE ELE TEME

A frase, a frase de Gary, apenas oito palavras, a acompanhou desde a noite em que a leu no porão. E não é verdade? Quando ela ouvia um galho se quebrar por meio dos amplificadores que foi buscar com ajuda de Victor, quando ouvia passos no gramado, do que tinha mais medo? De um animal? De uma criatura?

Ou de um homem?

Gary. Sempre Gary.

Ele poderia ter entrado em qualquer momento. Poderia ter quebrado uma janela. Poderia tê-la atacado quando ela ia pegar água no poço. Por que esperaria? Sempre seguindo, sempre rondando, só que ainda não estava pronto para atacar.

Ele é louco. Da maneira antiga.

O HOMEM É A CRIATURA QUE ELE TEME

— É um homem, Garoto?

— Não sei dizer, mamãe.

— É alguém remando?

— Sim. Mas com as mãos em vez de remos.

— Estão com pressa? Estão esperando? Me diga mais. Diga tudo que pode ouvir.

Quem está seguindo você?

Gary.

Quem está seguindo você?

Gary.

Quem está seguindo você?

Gary Gary Gary Gary

— Acho que não estão num barco — diz o Garoto de repente.

Ele parece orgulhoso por finalmente ter conseguido especificar.

— O que quer dizer? Estão *nadando*?

— Não, mamãe. Não estão nadando. Estão andando.

Bem atrás deles, ela ouve algo que nunca ouviu. Parece um trovão. Um novo tipo de trovão. Ou pássaros, todos eles, em todas as árvores, que pararam de cantar e de piar, e estão apenas gritando.

O som ecoa uma vez, áspero, pelo rio, e Malorie sente um arrepio mais frio do que qualquer vento de outubro poderia provocar.

Ela rema.

trinta e nove

Don está no porão. Don está sempre no porão. Ele dorme lá agora. Será que começou a cavar um túnel onde a terra está aparente? Será que está cavando um túnel mais profundo, para se enfiar ainda mais na terra? Para ficar mais longe dos outros? Será que está escrevendo? Será que está escrevendo um caderno como aquele que Malorie encontrou na mala de Gary?

Gary.

Faz cinco semanas que ele foi embora. Como aquilo afetou Don?

Será que ele precisava de alguém que nem Gary? Será que precisava de outro ouvido?

Don mergulha cada vez mais em si mesmo assim como mergulha cada vez mais na casa, e agora está no porão.

Está sempre no porão.

o

quarenta

Esta é a noite que mais tarde Malorie vai considerar como a última que passou na casa, apesar de ter vivido pelos quatro anos seguintes ali. Sua barriga parece tão grande no espelho que a assusta. Parece que poderia muito bem cair de seu corpo. Ela conversa com o bebê.

— Você vai sair daí um dia desses. Há tantas coisas que quero lhe dizer e tantas que não quero.

Desde a infância, o cabelo preto de Malorie nunca esteve tão comprido. Shannon costumava ter inveja dele.

Você parece uma princesa. Eu pareço a irmã da princesa, diria ela.

Por sobreviver à base de enlatados e água do poço, ela consegue ver algumas costelas, apesar da saliência na barriga. Seus braços estão finos como gravetos. O rosto está magro, os traços, marcados. Os olhos, mais fundos, chamam atenção no espelho, até mesmo a da própria Malorie.

Os moradores da casa estão reunidos na sala de estar, no andar de baixo. Mais cedo, eles ligaram para os últimos nomes da lista telefônica. Não há mais nenhum. Felix disse que fizeram quase cinco mil ligações. Deixaram dezessete mensagens. E pronto. Mas Tom está animado.

Enquanto examina o corpo no espelho, Malorie ouve um dos cães rosnar lá embaixo.

Parece Victor. Ela vai para o corredor e escuta.

— O que foi, Victor? — Ela ouve Jules dizer.

— Ele não está gostando disso — afirma Cheryl.

— Do quê?

— Não está gostando da porta do porão.

O porão. Não é segredo para ninguém que Don não quer falar com os outros moradores da casa. Quando Tom explicou seu plano de ligar para os números da lista telefônica e delegou algumas letras para cada um do grupo, Don se recusou a participar, mencionando sua "descrença" no processo como um todo. Nas sete semanas que se passaram desde que Gary foi expulso, Don não se juntou aos outros durante as refeições. Ele mal conversa.

Malorie ouve uma cadeira ser arrastada no chão da cozinha.

— Tudo bem, Victor? — pergunta Jules.

Malorie ouve a porta do porão abrir, e em seguida Jules grita.

— Don! Você está aí?

— Don! — repete Cheryl.

Ele dá uma resposta abafada. A porta volta a se fechar.

Curiosa e ansiosa, Malorie puxa a blusa para cobrir a barriga e desce a escada.

Quando entra na cozinha, vê Jules ajoelhado, acalmando Victor, que agora choraminga e anda de um lado para outro. Malorie olha para a sala de estar. Lá está Tom, encarando as janelas cobertas.

Ele está tentando ouvir os pássaros, pensa. *Victor está deixando Tom assustado.*

Como se sentisse os olhos de Malorie nele, Tom se vira na direção da amiga. O cachorro choraminga atrás dela.

— Jules — diz ele, entrando na cozinha —, o que você acha que é? O que está assustando Victor?

— Não sei. Obviamente alguma coisa o deixou atordoado. Ele estava arranhando a porta do porão mais cedo. Don está lá embaixo. Mas é um sacrifício tentar conversar com ele. E é pior ainda quando tentamos fazê-lo subir.

— Tudo bem — conclui Tom. — Vamos lá embaixo então.

Quando Jules olha para ele, Malorie vê medo no rosto de Tom.

O que Gary fez com eles?

Ele injetou desconfiança no grupo, pensa Malorie. *Jules está com medo de confrontar Don.*

— Vamos — pede Tom. — Já está hora de conversar com ele.

Jules se levanta e põe a mão na maçaneta do porão. Victor começa a rosnar de novo.

— Fique aqui, garotão — diz Jules.

— Não — retruca Tom. — Vamos levar Victor com a gente.

Jules hesita, então abre a porta do porão.

— Don? — grita Tom.

Ninguém responde.

Tom desce primeiro. Jules e Victor vão em seguida. Malorie os segue.

Apesar de a luz estar acesa, parece escuro ali embaixo. De início, Malorie acha que estão sozinhos. Ela esperava ver Don sentado no banquinho. Lendo. Pensando. Escrevendo. Está prestes a dizer que não há ninguém ali, mas então solta um berro.

Don está de pé ao lado da tapeçaria fina, encostado na máquina de lavar, nas sombras.

— O que deu no cachorro? — pergunta ele, baixinho.

Tom responde com cautela:

— A gente não sabe, Don. Parece que ele está incomodado com alguma coisa aqui embaixo. Está tudo bem?

— O que quer dizer com isso?

— Você tem ficado mais aqui do que a gente, nos últimos tempos — afirma Tom. — Só quero saber se está tudo bem.

Quando Don dá um passo à frente, na direção da luz, Malorie arqueja. Ele não parece bem. Pálido. Magro. Seu cabelo negro está sujo e ralo. As feições do seu rosto parecem ter a mesma textura de argila. As olheiras sob seus olhos fazem parecer que ele absorveu parte da escuridão na qual está imerso há semanas.

— Ligamos para toda a lista telefônica — explica Tom, tentando levar alguma luz para aquele porão úmido e escuro, pensa Malorie.

— Deu em alguma coisa?

— Ainda não. Mas quem sabe?

— É. Quem sabe.

Então todos ficam em silêncio. Malorie entende que a divisão que sentiu crescer entre eles agora está completa. Estão vendo se Don está bem. Verificando se Don está *são*. Como se ele estivesse morando em outro lugar. Consertar aquela situação parece impossível.

— Você quer subir? — pergunta Tom, com delicadeza.

Malorie sente uma onda de tontura. Leva uma das mãos à barriga.

O bebê. Ela não deveria ter descido a escada do porão. Mas está tão preocupada com Don quanto os outros.

— Para quê? — retruca Don, por fim.

— Não sei — diz Tom. — Pode fazer algum bem a você ficar um pouco com a gente esta noite.

Don está assentindo com a cabeça, devagar. Ele lambe os lábios. Olha ao redor. Para as prateleiras, as caixas, o banquinho em que Malorie se sentou, sete semanas antes, quando foi ler o caderno de Gary.

— Está bem — sussurra Don. — Tudo bem, então.

Tom põe uma das mãos no ombro de Don, que começa a chorar. Ele leva a mão aos olhos para disfarçar.

— Desculpe, cara — diz. — Estou tão confuso, Tom...

— Todos estamos — afirma Tom, baixinho. — Vamos lá para cima. Todo mundo vai adorar ver você.

Na cozinha, Tom tira a garrafa de rum do armário. Serve uma dose para si mesmo e outra para Don. Os dois fazem um brinde, batendo os copos com cuidado, depois bebem.

Por um instante, é como se nada tivesse mudado e nem fosse mudar. Os moradores da casa estão reunidos de novo. Malorie não consegue se lembrar da última vez em que viu Don assim, sem Gary agachado ao seu lado, o diabinho em seu ombro, sussurrando filosofias, descolorindo sua mente com a mesma linguagem que ela encontrou no caderno.

Victor se esfrega nas pernas de Malorie quando volta para a cozinha. Observando-o, ela sente uma nova onda de tontura.

Preciso me deitar, pensa.

— Então deite-se — diz Tom.

Malorie não tinha percebido que dissera aquilo em voz alta.

No entanto, ela não *quer* se deitar. Quer se sentar com Tom, Don e os outros e acreditar, por um instante, que a casa ainda pode ser o que deveria ser. Um lugar onde estranhos se encontram, juntam forças e reúnem ânimo para enfrentar o mundo exterior, impossível e mutante.

Porém, aquilo tudo é demais. Uma terceira onda de náusea a invade e Malorie, de pé, tropeça. Jules surge, de repente, ao seu lado. Ele a ajuda a subir a escada. Enquanto entra no quarto e se deita, ela percebe que os outros também estão ali. Todos eles. Don também. Estão lhe observando, preocupados com ela. *Encarando*. Perguntam se ela está bem. Precisa de alguma coisa? Água? Um pano molhado? Ela diz que não, ou acha que diz que não, pois está desmaiando. Enquanto adormece, ouve um barulho vindo pela passagem de ar. É novamente o som de Victor, rosnando, sozinho, na cozinha.

A última coisa que ela vê antes de fechar os olhos são os moradores agrupados. Eles a observam de perto. Olham para a barriga dela.

Sabem que chegou a hora.

Victor rosna de novo. Don olha para a escada.

Jules sai do quarto.

— Obrigada, Tom — diz Malorie. — Pelas buzinas de bicicleta.

Ela pensa ter ouvido a caixa de pássaros bater levemente na casa. Mas é apenas o vento na janela.

Então adormece. E sonha com os pássaros.

quarenta e um

Os pássaros nas árvores estão inquietos. Parece que milhares de galhos estão balançando ao mesmo tempo. Como se houvesse um vento perigoso lá em cima. Mas Malorie não o sente ali embaixo, no rio. Não. Não há vento.

Mas algo está deixando os pássaros inquietos.

A dor no seu ombro é a pior que Malorie já sentiu. Ela se recrimina por não ter prestado mais atenção ao próprio corpo nos últimos quatro anos. Em vez disso, passou o tempo todo treinando as crianças. Até que as habilidades delas transcenderam os exercícios que Malorie inventava.

Mamãe, uma folha caiu no poço!

Mamãe, está chovendo no fim da rua e a chuva vem para cá!

Mamãe, um passarinho pousou no galho ao lado da nossa janela!

Será que as crianças vão ouvir a voz gravada antes dela? Precisam ouvir. E, quando isso acontecer, estará na hora de abrir os olhos. De olhar para o local onde o rio se divide em quatro canais. Ela precisa escolher o segundo canal à direita. Foi isso que mandaram que fizesse.

E logo ela terá que fazê-lo.

Os pássaros nas árvores piam. Há agitação nas margens. Homem, animal, *monstro*. Ela não tem ideia.

O medo que sente está firme no centro de sua alma.

E os pássaros nas árvores logo acima deles continuam piando.

Ela pensa na casa. Na última noite que passou com os outros moradores, todos juntos. O vento batia forte nas janelas. Havia uma tempestade chegando. Bem forte. Talvez os pássaros nas árvores saibam. Ou talvez saibam de alguma outra coisa.

— Não consigo ouvir — diz, de repente, a Menina. — Os pássaros, mamãe. Estão piando alto demais!

Malorie para de remar. Ela pensa em Victor.

— Como eles parecem estar? — pergunta às crianças.

— Com medo! — diz a Menina.

— Loucos! — afirma o Garoto.

Quanto mais atentamente Malorie escuta as árvores, mais terrível parece o som.

Quantos pássaros há aqui? Eles parecem ser infinitos.

Será que as crianças vão ouvir a gravação apesar de toda a cacofonia acima deles?

Victor enlouqueceu. Os animais enlouquecem.

Os pássaros não parecem sãos.

Devagar e às cegas, ela olha por cima do ombro para o que os segue.

Seus olhos estão fechados, pensa. *Assim como seus olhos estavam fechados toda vez que você ia pegar água no poço. Toda vez que você tentava ir de carro buscar os amplificadores. Os seus olhos estavam fechados quando os de Victor não estavam. Com o que está preocupada? Já não ficou próxima delas? Já não ficou tão próxima de uma criatura que achou que podia sentir o cheiro dela?*

Já, sim.

Você acrescenta os detalhes, pensa ela. *É a sua noção de como é a aparência delas. Você acrescenta detalhes a um corpo e a uma forma, mas não faz nenhuma ideia de como são. Cria um rosto que pode não existir.*

As criaturas em sua mente andam em campos abertos, sem horizonte. Ficam ao lado das janelas de casas antigas e olham com curiosidade pelo vidro. Elas analisam. Examinam. Observam. Fazem a única coisa que Malorie não pode fazer.

Olham.

Será que percebem que as flores nos jardins são bonitas? Entendem em que direção segue o rio? Será?

— Mamãe — diz o Garoto.

— *O que foi?*

— Esse barulho, mamãe. Parece alguém falando.

Ela pensa no homem do barco. Pensa em Gary. Mesmo agora, tão distante da casa, pensa em Gary.

Malorie tenta perguntar ao Garoto o que ele quer dizer, mas o barulho dos pássaros aumenta numa onda grotesca, quase sinfônica, de guinchos.

Parece que há pássaros demais e árvores de menos.

É como se ocupassem o céu inteiro.

Eles parecem loucos. Eles parecem loucos. Ai, meu Deus, eles parecem loucos.

Malorie vira a cabeça para olhar por cima do ombro de novo, apesar de não poder enxergar. O Garoto ouviu uma voz. Os pássaros parecem loucos. Quem está seguindo o barco deles?

No entanto, não parece mais que algo os segue. Parece que algo os alcançou.

— É uma voz! — berra o Garoto, como se emergisse de um sonho. Sua voz penetra aquele barulho impossível acima deles.

Malorie tem certeza disso. Os pássaros viram algo abaixo deles.

A canção comunal dos pássaros aumenta e chega ao auge antes de baixar de tom, contorcer-se e ultrapassar os limites. Malorie a ouve como se estivesse *dentro* dela. Como se estivesse presa em um aviário com milhares de pássaros malucos. Parece que uma gaiola se fechou com todos eles dentro. Uma caixa de papelão. Uma caixa de pássaros. Bloqueando o sol para sempre.

O que é isso? O que é isso? O que é isso?

O infinito.

De onde veio isso? De onde veio isso? De onde veio isso?

Do infinito.

As aves gritam. E o barulho que produzem não é uma canção.

A Menina berra.

— Alguma coisa bateu em mim, mamãe! Alguma coisa caiu!

Malorie também sente. Acha que está chovendo.

De forma inacreditável, o som dos pássaros fica ainda mais alto. Os guinchos são ensurdecedores. Malorie tem que tapar os ouvidos. Ela pede para as crianças fazerem o mesmo.

Algo cai com força em seu ombro machucado e ela grita, contorcendo--se de dor.

Desesperada, com uma das mãos na venda, vasculha o barco para descobrir o que a atingiu.

A Menina grita de novo:

— Mamãe!

Mas Malorie encontrou. Entre o seu indicador e o polegar não há uma gota de chuva, mas sim o corpo despedaçado de um passarinho. Ela toca na asa delicada do animal.

Malorie agora sabe.

No céu, para onde ela está proibida de olhar, os pássaros estão lutando. Estão matando uns aos outros.

— *Cubram a cabeça! Segurem a venda!*

Então, como uma onda, eles a acertam. Corpos penosos despencam feito granizo. O rio parece entrar em erupção com o peso de milhares de pássaros atingindo a água. Eles atingem o barco. Mergulham. Atingem Malorie. As aves batem em sua cabeça, em seu braço. Ela é atingida mais uma vez. E outra.

Quando o sangue dos pássaros escorre pelo seu rosto, ela consegue sentir o gosto deles.

E o cheiro também. Morte. Morrer. Apodrecimento. O céu está caindo, o céu está morrendo, o céu está morto.

Malorie chama as crianças, mas o Garoto já está falando, tentando lhe contar algo.

— Riverbridge — diz ele. — Rua Shillingham, 273... Meu nome é...

— *O quê?*

Agachada, Malorie se inclina para a frente. Ela pressiona com força os lábios do Garoto no seu ouvido.

— Riverbridge — repete ele. — Rua Shillingham, 273. Meu nome é Tom.

Malorie se ajeita, ferida, agarrando a venda.

Meu nome é Tom.

Pássaros atingem o corpo dela. Batem no barco.

Mas ela não está pensando neles.

Está pensando em Tom.

Olá! Estou ligando de Riverbridge. Rua Shillingham, 273. Meu nome é Tom. Imagino que vocês saibam o alívio que estou sentindo pela sua secretária eletrônica ter me atendido. Isso significa que vocês ainda têm luz. Nós também...

Malorie começa a balançar a cabeça.

não não não não não não não não não não não

— NÃO!

O Garoto ouviu primeiro. A voz de Tom. Gravada e tocada repetidas vezes. Acionada por movimento. Para ela. Para Malorie. Caso ela decidisse seguir pelo rio. Quando esse dia chegasse. Tom, o doce Tom, ecoando aqui durante todos esses anos. Tentando entrar em contato. Tentando encontrar alguém. Tentando construir uma ponte entre a vida na casa e uma melhor, em outro lugar.

Usaram a voz dele porque sabiam que você a reconheceria. É aqui, Malorie. Este é o momento em que você deve abrir os olhos.

Quão verde é a grama? Quão coloridas são as folhas? Quão vermelho é o sangue dos pássaros que se espalha pelo rio?

— Mamãe! — grita o Garoto.

Mamãe tem que abrir os olhos, quer dizer ela. *Mamãe tem que olhar.*

Mas os pássaros enlouqueceram.

— Mamãe! — repete o Garoto.

Ela responde. E mal reconhece a própria voz.

— O que foi, Garoto?

— Tem alguma coisa aqui com a gente, mamãe. Tem alguma coisa *bem* aqui.

O barco para.

Algo o fez parar.

Ela consegue ouvir a coisa se mover na água, ao lado deles.

Não é um animal, pensa ela. *Não é Gary. É a coisa da qual você tem se escondido por quatro anos e meio. É a coisa que não permite que você olhe.*

Malorie se prepara.

Há algo na água à esquerda. A centímetros de seu braço.

Os pássaros acima dela estão cada vez mais distantes. Como se subissem, subissem numa corrida lunática até o fim do céu.

Ela consegue *sentir* a presença de alguma coisa ao seu lado.

Os pássaros estão ficando quietos. Acalmando-se. Somem. Sobem. Já se foram.

A voz de Tom continua. O rio flui em torno do barco.

Malorie grita quando sente a venda ser arrancada de seu rosto.

Ela não se mexe.

A venda é deixada a um centímetro de seus olhos fechados.

Será que ela pode ouvi-la? Uma respiração? É isso que está ouvindo? *É isso?*

Tom, pensa, *Tom está deixando uma mensagem.*

A voz dele ecoa pelo rio. Ele parece tão esperançoso. Vivo.

Tom. Vou ter que abrir os olhos. Fale comigo. Por favor. Me diga o que fazer. Tom, vou ter que abrir os olhos.

A voz dele vem de um ponto mais à frente. Ele soa como o sol, a única luz em toda aquela escuridão.

A venda é puxada um centímetro para mais longe de seu rosto. O nó pressiona a parte de trás da sua cabeça.

Tom, vou ter que abrir os olhos.

E então...

quarenta e dois

. . . Ela abre.

Malorie senta-se na cama e segura a barriga antes de entender que está gritando há algum tempo. A cama está encharcada.

Dois homens correm para o quarto. Tudo é tão onírico

(Estou mesmo tendo um bebê? Um bebê? Eu estava grávida esse tempo todo?)

e tão assustador

(Cadê Shannon? Cadê minha mãe?)

que, de início, ela não reconhece Felix e Jules.

— *Puta que pariu!* — exclama Felix. — Olympia já está lá em cima. O trabalho de parto dela começou há umas duas horas.

Lá em cima onde?, pensa Malorie. *Lá em cima onde?*

Os homens são cuidadosos com ela e a ajudam a chegar à beirada da cama.

— Está pronta para fazer isso? — pergunta Jules, ansioso.

Malorie apenas olha para ele, franzindo a testa, o rosto vermelho e pálido ao mesmo tempo.

— Eu estava dormindo — diz ela. — Eu só estava... Lá em cima onde, Felix?

— Ela está pronta — afirma Jules, forçando um sorriso, tentando acalmar Malorie. — Você está maravilhosa, Malorie. Parece pronta.

Ela começa a perguntar:

— Lá...

Mas Felix responde antes que ela termine.

— Vamos fazer o parto no sótão. Tom diz que é o lugar mais seguro da casa. Caso alguma coisa aconteça. Mas não vai acontecer nada. Olympia já está lá em cima. Faz duas horas que entrou em trabalho de parto. Tom e Cheryl estão com ela. Não se preocupe, Malorie. Vamos fazer tudo que pudermos.

Malorie não responde. A sensação de ter algo dentro de seu corpo que precisa sair é a mais incrível e assustadora que já teve. Os dois homens a sustentam, cada um por um braço, e a levam para fora do quarto, passam pela porta e descem o corredor na direção dos fundos da casa. A escada do sótão já foi puxada, e, enquanto eles a estabilizam, Malorie vê os cobertores cobrindo a janela no fim do corredor. Ela se pergunta que horas são. Se já é a noite seguinte. Se já é a semana seguinte.

Eu realmente estou tendo meu bebê? Agora?

Felix e Jules a ajudam a subir os velhos degraus de madeira. Ela é capaz de escutar Olympia lá em cima. E a voz gentil de Tom dizendo coisas como *respire, você vai ficar bem, você está ótima.*

— Talvez não seja tão diferente assim — diz ela (os dois homens, graças a Deus, a ajudam a subir os degraus rangentes). — Talvez não seja tão diferente de como eu gostaria que fosse.

Há mais espaço ali em cima do que ela imaginava. Uma única vela ilumina o local. Olympia está em cima de uma toalha estendida no chão. Cheryl está ao lado dela. Os joelhos de Olympia estão erguidos e um lençol fino a cobre da cintura para baixo. Jules ajuda Malorie a se deitar em outra toalha, diante de Olympia. Tom se aproxima de Malorie.

— Ai, Malorie! — exclama Olympia. Ela está sem fôlego e apenas parte dela fala enquanto o resto se contrai e se contorce. — Estou tão feliz por você estar aqui!

Malorie, confusa, não consegue evitar a sensação de que ainda está dormindo quando olha por cima dos joelhos cobertos e vê Olympia deitada, como um reflexo.

— Há quanto tempo está aqui, Olympia?

— Não sei. Desde sempre, eu acho!

Felix está falando baixinho com Olympia, perguntando do que ela precisa. Então desce para buscar. Tom lembra a Cheryl para manter as coisas limpas. Elas vão ficar bem, diz ele, desde que esteja tudo limpo. Estão usando toalhas e lençóis limpos. Álcool em gel trazido da casa de Tom. Dois baldes de água do poço.

Tom parece calmo, mas Malorie sabe que ele não está.

— Malorie? — chama Tom.

— Oi.

— Do que você precisa?

— Acho que de um copo d'água. E de música também, Tom.

— Música?

— É. Alguma coisa calma e gostosa, sabe, alguma coisa que possa fazer... — *Alguma coisa para encobrir o barulho do meu corpo no chão de madeira de um sótão...* — Aquela da flauta. Aquela fita.

— Está bem — responde Tom. — Vou pegar.

Ele sai, passando por ela e indo até a escada que desce exatamente atrás das costas de Malorie. Ela volta a atenção para Olympia. Ainda luta contra o sono. Vê uma pequena faca de carne a seu lado, pousada em uma toalha de papel, a menos de um metro dela. Cheryl acabou de mergulhá-la na água.

— Nossa senhora! — grita Olympia, de repente.

Felix se ajoelha e segura a mão dela.

Malorie observa.

Essas pessoas, pensa, *o tipo de gente que responderia a um anúncio como aquele no jornal. Essas pessoas são sobreviventes.*

Ela sente uma onda momentânea de paz. Sabe que não vai durar muito. Os moradores da casa flutuam por sua mente, os rostos de cada um. E, ao vê-los, ela sente algo parecido com amor.

Nossa, pensa, *temos sido tão corajosos.*

— *Meu Deus!* — berra Olympia de repente.

Cheryl corre para o lado dela.

Uma vez, quando Tom subiu ao sótão para procurar uma fita adesiva, Malorie observou do pé da escada. Mas ela nunca tinha ido até ali. Agora, respirando com dificuldade, olha para as cortinas que cobrem a única janela do local e sente um arrepio. Até mesmo o sótão foi protegido. Um cômodo que quase nunca é usado precisa de um cobertor. Os olhos de Malorie passam pela moldura de madeira da janela, depois pelas paredes cobertas de tábuas de madeira, pelo teto pontiagudo, pelas caixas de coisas que George deixou para trás. Seus olhos seguem até uma pilha alta de cobertores. Outra caixa com pedaços de plástico. Livros velhos. Roupas velhas.

Há alguém de pé ao lado das roupas.

É Don.

Malorie sente uma contração.

Tom volta com um copo de água e o pequeno toca-fitas.

— Pronto, Malorie — diz. — Achei.

O som do crepitar de violinos escapa dos pequenos alto-falantes. Malorie considera aquilo perfeito.

— Obrigada — responde.

O rosto de Tom parece muito cansado. Os olhos dele estão semiabertos e inchados. Como se ele tivesse dormido por apenas uma hora ou menos.

Malorie sente uma contração tão terrível que, de início, acha que não é real. Parece que uma armadilha para ursos está presa em volta de sua cintura.

Vozes surgem por trás dela. Do pé da escada do sótão. É Cheryl. Jules. Ela mal tem consciência de quem está ali em cima e quem não está.

— Ai, meu *Deus*! — berra Olympia.

Tom está com ela. Felix vai para o lado de Malorie de novo.

— Você vai conseguir — grita Malorie para a amiga.

Nesse momento, um trovão ressoa do lado de fora. A chuva cai com força no telhado. De certa forma, a chuva é exatamente o barulho que ela queria. O mundo exterior *soa* como ela se sente por dentro. Tempestuoso. Ameaçador. Abominável. Os outros moradores surgem das sombras, depois desaparecem. Tom parece preocupado. Olympia arqueja, ofegante. A escada range. Alguém acabou de subir. É Jules de novo. Tom diz a ele que Olympia está bem mais adiantada do que Malorie. Trovões soam do lado de fora. Quando há um relâmpago, ela vê Don com clareza, os traços sombrios do seu rosto, os olhos fundos acima das olheiras.

Há uma pressão insuportável na barriga de Malorie. Parece que seu corpo está agindo sozinho, recusando os pedidos de sua mente por paz. Malorie grita e Cheryl sai do lado de Olympia e vai até ela. Malorie nem sabia que Cheryl estava ali.

— Isso é *horrível* — sibila Olympia.

Malorie pensa nas mulheres com os mesmos ciclos, mulheres com corpos em sintonia. Apesar de terem conversado muito sobre quem teria o bebê primeiro, nem ela nem Olympia sequer chegaram a brincar que as duas poderiam dar à luz ao mesmo tempo.

Ah, como Malorie desejou um parto tradicional!

Mais trovões.

Agora está mais escuro no sótão. Tom traz uma segunda vela, a acende e a coloca no chão, à esquerda de Malorie. Através da chama bruxuleante, ela vê Felix e Cheryl, mas Olympia é difícil de distinguir. O torso e o rosto dela estão escondidos pelas sombras tremeluzentes.

Alguém desce a escada atrás dela. Será que foi Don? Ela não quer esticar o pescoço. Tom passa pela luz da vela e em seguida fica no escuro. Então Felix faz o mesmo, pensa Malorie, e depois Cheryl. Silhuetas se afastam dela e vão até Olympia feito fantasmas.

A chuva cai com ainda mais força no telhado.

Há uma comoção barulhenta e repentina no andar de baixo. Malorie não tem certeza, mas acha que alguém está berrando. Será que sua mente cansada está confundindo os sons? Quem está discutindo?

Parece *mesmo* que há uma briga no andar de baixo.

Ela não pode pensar nisso agora. Não vai.

— Malorie?

Ela grita quando o rosto de Cheryl aparece de repente ao seu lado.

— Aperte minha mão. Quebre, se precisar.

Malorie quer dizer: *Traga mais luz para cá. Arranje um médico. Faça este parto por mim.*

Em vez disso, responde com um grunhido.

Está tendo o bebê. Não adianta mais se perguntar *quando*.

Será que passarei a ver as coisas de forma diferente? Vi tudo pelo prisma desse bebê. Era assim que eu enxergava a casa. Os moradores. O mundo. Foi assim que vi as notícias quando tudo começou e que vi as notícias quando elas cessaram. Já fiquei desesperada, paranoica, irritada e muito mais. Quando meu corpo voltar à forma que tinha na época em que eu andava livre pelas ruas, será que enxergarei as coisas de forma diferente de novo?

Como Tom lhe parecerá? Como soarão as ideias dele?

— Malorie! — grita Olympia na escuridão. — Acho que não vou conseguir fazer isso!

Cheryl diz a Olympia que ela vai conseguir, que está quase lá.

— O que está havendo lá embaixo? — pergunta Malorie de repente.

Don está no primeiro andar. Ela consegue ouvi-lo discutindo. Jules também. Isso, Don e Jules estão discutindo no corredor abaixo do sótão. Tom está com eles? E Felix? Não. Felix emerge da escuridão e segura sua mão.

— Você está bem, Malorie?

— Não — responde ela. — O que está havendo lá embaixo?

Ele hesita, então diz:

— Não sei direito. Mas você tem coisas mais importantes com que se preocupar do que uma briga.

— É Don? — pergunta ela.

— Não se preocupe com isso, Malorie.

A chuva fica mais forte. É como se cada gota tivesse um peso próprio, audível.

Malorie ergue a cabeça para ver os olhos de Olympia nas sombras, encarando-a.

Nesse instante, Malorie pensa ter escutado outro barulho.

Para além da chuva, da discussão, da comoção no andar de baixo, Malorie ouve *alguma coisa*. Mais doce que violinos.

O que é?

— Ai, porra! — berra Olympia. — Façam isso *parar*!

Malorie tem cada vez mais dificuldade de respirar. Parece que o bebê está acabando com o fôlego dela. Como se estivesse tentando sair pela garganta.

Tom está ali. Ao lado dela.

— Sinto muito, Malorie.

Ela se vira para ele. O rosto que vê, a expressão do amigo é algo que ela lembrará por anos.

— Pelo quê, Tom? Sente muito por que ter sido assim que aconteceu?

Os olhos de Tom parecem tristes. Ele assente com a cabeça. Ambos sabem que ele não tem razão alguma para pedir desculpas, mas também sabem que nenhuma mulher deveria precisar suportar um parto no sótão abafado de uma casa que só é seu lar porque ninguém pode sair.

— Sabe o que eu acho? — diz ele, com delicadeza, estendendo a mão para pegar a dela. — Acho que você vai ser uma mãe maravilhosa. Acho que vai criar essa criança tão bem que nem vai fazer diferença se o mundo continuar desse jeito ou não.

Para Malorie, parece que agora há um gancho enferrujado tentando arrancar o bebê de seu corpo. Que há uma corrente sendo puxada por um guincho escondido nas sombras diante dela.

— Tom — diz, com esforço. — O que está havendo lá embaixo?

— Don está chateado. É só isso.

Ela quer conversar mais sobre esse assunto. Não sente mais raiva de Don. Está preocupada com ele. De todos os moradores da casa, ele foi o mais afetado pelo novo mundo. Está perdido nele. Em seus olhos, há algo mais vazio do que desespero. Malorie quer dizer a Tom que ama Don, que todos o amam, que ele só precisa de ajuda. Mas a dor é tudo que ela consegue processar. E palavras são impossíveis naquele momento. A discussão no andar de baixo está parecendo uma piada. Como se alguém estivesse lhe pregando uma peça. Como se a casa estivesse lhe dizendo: *Viu só? Tenha um pouco de senso de humor apesar desse sofrimento horrível dentro do meu sótão.*

Malorie sabia o que era exaustão e fome. Dor física e cansaço mental extremo. Mas nunca vivenciara o estado em que está agora. Ela não só tem o direito de não ser incomodada por uma briguinha boba entre os moradores da casa, mas quase merece que todos saiam da casa e fiquem lá fora no quintal, de olhos fechados, pelo tempo necessário para ela e Olympia fazerem o que os seus corpos precisam.

Tom se levanta.

— Já volto — diz. — Quer mais água?

Malorie balança a cabeça e volta os olhos para as sombras e o lençol que representam o esforço de Olympia à frente dela.

— Vamos conseguir! — afirma Olympia, de repente, frenética. — Está acontecendo!

Tantos barulhos. As vozes no andar de baixo, as vozes no sótão (vindo das sombras e de rostos que emergem dessas sombras), o rangido da escada toda vez que alguém sobe e desce para analisar a situação ali em cima e depois (ela sabe que há um problema no andar de baixo, mas simplesmente não pode se importar com isso no momento) a que está acontecendo lá embaixo. A chuva cai, mas há *outra* coisa. Outro barulho. Talvez de um instrumento. As notas mais altas do piano da sala de jantar.

De repente, Malorie sente outra estranha onda de paz. Apesar dos milhares de lâminas que penetram seu pescoço, seus pulmões e seu peito, ela entende que, não importa o que faça, não importa o que aconteça, o bebê vai nascer. Não importa para que tipo de mundo ela está trazendo esse bebê. Olympia está certa. Está *acontecendo.* A criança está vindo, a criança está quase saindo. E ela sempre fez parte do novo mundo.

A criança conhece a ansiedade, o medo, a paranoia. Ficou preocupada quando Tom e Jules foram tentar encontrar cachorros. Sentiu um alívio enorme quando eles voltaram. Ficou assustada com a mudança em Don. Com a mudança na casa. Com a transformação de um refúgio esperançoso em um lugar amargo e ansioso. Ficou triste quando li o anúncio que me levou até ali, assim como quando li o caderno no porão.

Ao pensar na palavra "porão", Malorie consegue de fato escutar a voz de Don no primeiro andar.

Ele está gritando.

No entanto, algo além da voz dele a deixa ainda mais preocupada.

— Está ouvindo esse barulho, Olympia?

— O quê? — resmunga a amiga.

Parece que a garganta dela está grampeada.

— Esse barulho. Parece que...

— É a chuva — afirma Olympia.

— Não, não é isso. Tem outra coisa. Parece que já tivemos nossos bebês.

— O quê?

Para Malorie aquilo soa *mesmo* como um bebê. Algo parecido com isso, distante dos moradores da casa que estão ao pé da escada. Talvez no primeiro andar, na sala de estar, talvez até...

Talvez até do lado de fora.

Mas o que aquilo significa? O que está acontecendo? Há alguém chorando na varanda?

Impossível. É alguma outra coisa.

Mas está *viva.*

Um relâmpago. O sótão inteiro fica visível, como num pesadelo, durante um lampejo. O cobertor que tapa a janela se mantém fixo na mente de Malorie muito depois de a luz se apagar e do trovão soar. Olympia grita quando isso acontece, e Malorie, de olhos fechados, vê a expressão de medo da amiga congelada em sua mente.

Mas a atenção de Malorie se volta para a pressão insuportável em sua barriga. Parece que Olympia está gritando por ela. Toda vez que Malorie sente aquela faca horrenda penetrando na lateral de seu corpo, Olympia grita.

Será que estou gritando por ela também?

A fita cassete para. Assim como a comoção no andar de baixo.

Até a chuva diminui.

Agora é possível ouvir os sons mais sutis no sótão. Malorie escuta a própria respiração. Os passos dos moradores que as ajudam estão bem definidos.

Figuras surgem. Depois somem.

Lá está Tom (ela tem certeza).

Lá está Felix (ela acha).

Lá está Jules, agora ao lado de Olympia.

Será que o mundo está recuando? Ou estou viajando para cada vez mais longe na direção da dor?

Ela ouve de novo o barulho. Como se houvesse uma criança na porta. Algo jovem e vivo vindo do andar de baixo. Só que agora está mais evidente. Só que agora não tem que se sobressair à discussão, à música e à chuva.

Sim, está mais evidente, mais bem definido. Enquanto Tom atravessa o sótão, ela ouve o som entre os passos dele. As botas do amigo se conectam à madeira, depois se erguem, expondo as notas juvenis que vêm de baixo dela.

Então, com muita clareza, Malorie reconhece o que é aquele som.

São os pássaros. Ai, meu Deus. São os pássaros.

A caixa de papelão batendo na parede de fora da casa e o arrulhar suave e doce dos pássaros.

— Tem alguma coisa lá fora — diz ela.

No começo, é baixinho.

Cheryl está a alguns metros dela.

— *Tem alguma coisa lá fora!* — grita Malorie.

Jules olha por cima do ombro de Olympia.

Um estrondo vem do andar inferior. Felix grita. Jules passa correndo por Malorie. Suas botas dão passos ruidosos e rápidos na escada atrás dela.

Malorie procura por Tom no sótão, desesperada. Ele não está ali. Está no andar de baixo.

— Olympia — diz Malorie, mais para si mesma. — Estamos sozinhas aqui em cima!

A amiga não responde.

Malorie tenta não ouvir, mas não consegue evitar. Parece que todos estão na sala de estar. No primeiro andar, com certeza. Todos gritam. Será que Jules acabou de dizer “não faça”?

À medida que a comoção aumenta, a dor de Malorie também cresce.

De costas para a escada, ela estica o pescoço. Quer saber o que está acontecendo. Quer pedir que *parem*. Há duas grávidas no sótão que precisam da ajuda de vocês. *Parem, por favor.*

Delirante, Malorie deixa o queixo cair no peito. Seus olhos se fecham. Ela sente que está prestes a perder a consciência, que pode desmaiar. Ou pior.

Volta a chover. Malorie abre os olhos. Ela vê Olympia, a cabeça voltada para o teto. As veias em seu pescoço estão aparentes. Devagar, Malorie examina o sótão. Ao lado da amiga há caixas. Depois, a janela. E mais caixas. Livros velhos. Roupas velhas.

O clarão de um relâmpago ilumina o sótão. Malorie fecha os olhos. Na sua própria escuridão, vê uma imagem congelada das paredes do cômodo.

A janela. As caixas.

E um homem, parado onde Don estava quando ela subiu.

Não é possível, pensa.

Mas é.

E, antes mesmo que seus olhos se abram totalmente, ela percebe quem está parado ali, quem está no sótão com ela.

— Gary — diz Malorie, invadida por centenas de pensamentos. — Você ficou escondido no porão.

Ela pensa em Victor rosnando para a porta do porão.

Pensa em Don, dormindo lá embaixo.

Enquanto Malorie encara Gary nos olhos, a discussão no andar de baixo se intensifica. Jules está rouco. Don, furioso. Parece que estão se socando.

Gary emerge das sombras. Está se aproximando dela.

Quando fechamos os olhos e Tom abriu a porta da frente, pensa Malorie, sabendo que essa é a verdade, *Don o escondeu no porão da casa.*

— O que você está fazendo aqui?! — berra Olympia de repente.

Gary não olha para ela. Apenas se aproxima de Malorie.

— *Fique longe de mim!* — grita ela.

Ele se ajoelha ao seu lado.

— Você — diz. — Tão vulnerável nesse estado. Achei que teria mais compaixão e não expulsaria alguém de volta para um mundo como este.

Os relâmpagos lampejam de novo.

— *Tom! Jules!*

O bebê de Malorie ainda não nasceu. Mas deve estar quase.

— Não grite — pede Gary. — Não estou com raiva.

— Por favor, me deixe em paz. Por favor, nos deixe sozinhas.

Gary ri.

— Você diz isso o tempo todo! Só quer que eu vá embora!

Trovões soam do lado de fora. Os moradores da casa gritam mais alto.

— Você nunca saiu daqui — afirma Malorie, como se cada palavra retirasse um peso do seu peito.

— Isso mesmo. Nunca saí daqui.

Lágrimas se formam nos olhos de Malorie.

— Don teve a sensibilidade de me ajudar e a sensatez de prever que eu poderia ser expulso na votação.

Don, pensa ela, *o que foi que você fez?*

Gary se aproxima ainda mais.

— Você se incomoda se eu lhe contar uma história enquanto faz o que tem que fazer?

— *Como assim?*

— Uma história. Alguma coisa para desviar sua atenção da dor. E posso afirmar que está fazendo um ótimo trabalho. Bem melhor do que minha mulher.

A respiração de Olympia parece complicada, penosa demais, como se não fosse possível que ela sobrevivesse àquela situação.

— Uma coisa ou outra está acontecendo aqui — explica Gary. — Ou...

— Por favor — pede Malorie. — *Por favor*, me deixe em paz.

— Ou minhas teorias estão certas ou, e eu odeio usar essa palavra, sou *imune*.

Parece que o bebê está no limite do corpo de Malorie. No entanto, ele parece ser grande demais para sair. Ela arqueja e fecha os olhos. Mas a dor está por toda parte, até na escuridão.

Não sabem que ele está aqui em cima. Meu Deus, não sabem que ele está aqui.

— Fiquei muito tempo observando esta rua — diz Gary. — Vi Tom e Jules tropeçarem pelo quarteirão. Eu estava a centímetros de Tom enquanto ele analisava a tenda que me abrigava.

— Pare. PARE!

No entanto, gritar só piora a dor. Malorie se concentra. Faz força. Respira. Mas não consegue deixar de ouvir.

— Achava fascinante como o homem se esforçava, enquanto eu observava, sem sofrer nada, e as criaturas passavam todos os dias e noites, às vezes várias de uma só vez. Foi por isso que me instalei nesta rua, Malorie. Você não tem ideia de quanta coisa acontece lá fora.

por favor por favor por favor por favor por favor por favor por favor por favor POR FAVOR

Do andar de baixo, ela ouve a voz de Tom:

— Jules! Preciso de você!

Então um estrondo de passos desce a escada.

— TOM! SOCORRO! GARY ESTÁ AQUI EM CIMA! TOM!

— Ele está preocupado — afirma Gary. — Estão com um problema sério lá embaixo.

Ele se levanta. Vai até a porta do sótão e a fecha, em silêncio.

Então a tranca.

— Está melhor assim? — pergunta.

— O que você fez? — sibila Malorie.

Mais gritos no andar de baixo. Parece que todos estão se movendo ao mesmo tempo. Por um instante, Malorie acha que ficou louca. Não importa quão segura esteja, ela sente que não há como se esconder da insanidade do novo mundo.

Alguém berra no corredor abaixo da porta trancada do sótão. Malorie acha que é Felix.

— Minha mulher não estava preparada — diz Gary, surgindo ao lado dela, de repente. — Eu a observei enquanto ela via uma criatura. Não a avisei que estava vindo. Eu...

— *Por que não contou nada para a gente?!* — pergunta Malorie, gritando, fazendo força.

— Porque — começa Gary —, assim como os outros, nenhum de vocês acreditaria em mim. Só Don.

— Você é *doido*.

Gary dá uma risada forçada.

— O que está acontecendo lá embaixo?! — grita Olympia. — Malorie! O que está *acontecendo* lá embaixo?

— *Eu não sei!*

— É Don — explica Gary. — Ele está tentando convencer os outros das coisas que o ensinei.

— É DON!

A voz que vem do primeiro andar é tão clara quanto se estivesse ali no sótão com eles.

— DON TIROU TUDO! DON TIROU OS COBERTORES DAS JANELAS!

— Não vão machucar a gente — sussurra Gary.

Os pelos da sua barba úmida encostam na orelha de Malorie.

Mas ela não está mais prestando atenção nele.

— Malorie? — sussurra Olympia.

— DON TIROU OS COBERTORES E ABRIU A PORTA! ESTÃO NA CASA! VOCÊ ME OUVIU? ELAS ESTÃO NA CASA!

o bebê está vindo o bebê está vindo o bebê está vindo

— Malorie?

— Olympia — responde ela, derrotada, sem esperança (é verdade? A voz dela está mesmo dizendo isso?). — Sim. Estão na casa agora.

A tempestade lá fora chicoteia as paredes.

O caos no andar de baixo parece impossível.

— Eles parecem lobos — chora Olympia. — Parecem *lobos*!

Don Don Don Don Don Don Don Don Don Don

arranque os cobertores

deixe as criaturas entrarem

alguém as viu

deixe-as entrar

alguém enlouqueceu quem foi?

Don as deixou entrar

Don arrancou os cobertores

Don não acha que elas podem nos machucar

Don acha que tudo é coisa da nossa cabeça

Gary ajoelhou-se ao lado dele na cadeira da sala de jantar

Gary falou com ele de trás da tapeçaria no porão

Don arrancou os cobertores

Gary lhe disse que eram uma fraude, Gary lhe disse que eram inofensivas

pode ter ficado louco quem é quem foi?

(força, Malorie, força, você está tendo um bebê, um bebê com que se preocupar, feche os olhos se precisar mas faça força faça força)

estão na casa agora

e todos que estão lá dentro

parecem lobos.

Os pássaros, pensa Malorie, histérica, *foram uma boa ideia, Tom. Uma ótima ideia.*

Olympia está lhe fazendo perguntas desesperadas, mas Malorie não consegue responder. Está com a cabeça cheia.

— É verdade? Será que tem realmente uma aqui dentro de casa? Não pode ser verdade. A gente nunca permitiria isso! Tem mesmo uma aqui na casa? *Agora?*

Algo bate numa parede no andar de baixo. Talvez um corpo. Os cães latem.

Alguém jogou um cachorro na parede.

— DON ARRANCOU OS COBERTORES DAS JANELAS!

Quem está de olhos fechados lá embaixo? Quem teve essa presença de espírito? Será que Malorie conseguiria? Será que Malorie conseguiria ficar de olhos fechados enquanto os amigos enlouqueciam?

Meu Deus, pensa ela. *Vão morrer lá embaixo.*

O bebê está matando Malorie.

Gary continua sussurrando no ouvido dela.

— O que você está ouvindo lá embaixo é o que quero dizer, Malorie. Eles acham que têm que enlouquecer. Mas não têm. Passei muito tempo lá fora. Observei as criaturas durante semanas.

— *Impossível* — diz Malorie.

Ela não sabe se disse aquilo para Gary, para o barulho no andar de baixo ou para a dor que acredita que nunca vai passar.

— Na primeira vez que vi uma, achei que tivesse ficado maluco. — Gary ri de nervoso. — Mas não. E, ao perceber que continuava são, comecei a entender o que estava acontecendo. Com meus amigos. Com minha família. Com todo mundo.

— *Não quero mais ouvir!* — grita Malorie.

Ela sente que vai se partir ao meio. Aconteceu alguma coisa errada, pensa. O bebê que está tentando sair dela é grande demais e vai parti-la ao meio. É um menino, acredita ela.

— Quer saber?

— *Pare!*

— Quer saber?

— *Não! Não! Não!*

Olympia urra, o céu urra, os cães urram no andar de baixo. Malorie acredita ter escutado Jules, especificamente. Ela o ouve correr em um andar abaixo. Ela o ouve tentar destruir algo no banheiro lá de baixo.

— Talvez eu seja imune, Malorie. Ou simplesmente *consciente*.

Ela quer perguntar: *Você tem ideia do quanto poderia ter nos ajudado? Entende como seria mais seguro para nós com você aqui?*

Mas Gary é louco.

E provavelmente sempre foi.

Don arrancou os cobertores das janelas.

Gary ajoelhou-se ao lado dele na sala de jantar.

Gary falou com ele de trás de uma tapeçaria no porão.

Gary o diabinho no ombro macio de Don.

Há uma batida trovejante na porta do sótão.

— ME DEIXEM ENTRAR! — grita alguém.

É Felix, pensa Malorie. *Ou Don.*

— PELO AMOR DE DEUS ME DEIXEM ENTRAR!

Mas não é nenhum dos dois.

É *Tom.*

— *Abra a porta para ele!* — grita Malorie para Gary.

— Tem certeza de que quer que eu faça isso? Não me parece muito seguro.

— *Por favor por favor por favor! Deixe-o entrar!*

É Tom, *ai, meu Deus, é Tom, é Tom, ai, meu Deus, é Tom.*

Ela faz muita força. Ai, meu *Deus*, ela faz muita força.

— Respire — pede Gary. — Respire. Está quase lá.

— Por favor — pede Malorie. — *Por favor!*

— ME DEIXEM ENTRAR! ME DEIXEM SUBIR AÍ!

Olympia também está gritando:

— *Abra a porta para ele! É Tom!*

A insanidade no andar de baixo está batendo à porta.

Tom.

Tom está louco. Tom viu uma das criaturas.

Tom está louco.

Você o ouviu? Ouviu a voz dele? É o barulho que ele faz. É assim que ele fica sem sanidade, sem sua linda sanidade.

Gary se levanta e atravessa o sótão. A chuva bate no telhado.

Então as batidas na porta param.

Malorie olha para Olympia, do outro lado do cômodo.

O cabelo preto da amiga se mistura às sombras. Seus olhos brilham como chamas.

— Estamos... quase... lá — diz ela.

O bebê de Olympia está nascendo. À luz da vela, Malorie pode ver que a amiga já está na metade do processo.

Por instinto, ela tenta pegá-lo, apesar de estar na outra ponta do sótão.

— Olympia! Não se esqueça de tapar os olhos do seu filho. Não se esqueça de...

A porta do sótão se abre com um estrondo. Alguém quebrou a tranca.

Malorie grita, mas tudo o que ouve é a batida do próprio coração, mais alta do que qualquer coisa naquele novo mundo.

Então ela fica em silêncio.

Gary se levanta e vai até a janela.

Passos pesados passam por trás dela.

O bebê de Malorie está nascendo.

A escada range.

— *Quem está aí?* — grita ela. — Quem é? Todo mundo está bem? É você, Tom? Quem está aí?

Alguém que ela não pode ver subiu a escada e está no sótão com eles.

Malorie, de costas para a escada, vê a expressão de Olympia mudar de dor para veneração.

Olympia, pensa ela. *Não olhe. Fizemos tudo direitinho. Fomos tão corajosas. Não olhe. Em vez disso, pegue seu filho. Tape seus olhos quando sair totalmente. Tape os olhos dele. E os seus. Não olhe. Olympia. Não olhe.*

Mas ela percebe que é tarde demais para a amiga.

Olympia se inclina para a frente. Os olhos dela se arregalam, a boca se escancara. O rosto se transforma em três círculos perfeitos. Por um instante, Malorie vê os traços da amiga se contorcerem, depois brilharem.

— Você é linda — diz Olympia, sorrindo. É um sorriso torto, perturbado. — Não tem nada de errado com você. Quer ver meu bebê? Quer ver meu bebê?

A criança, a criança, pensa Malorie, *a criança está dentro dela e ela enlouqueceu. Ai, meu Deus, Olympia enlouqueceu, ai, meu Deus, a coisa está atrás de mim, a coisa está atrás do meu filho.*

Malorie fecha os olhos.

Ao fazer isso, a imagem de Gary persiste, ainda parada no limite do alcance da luz. Mas ele não parece tão confiante quanto afirmou que estaria. Parece uma criança assustada.

— Olympia — diz Malorie. — Você precisa tapar os olhos do bebê. Precisa esticar a mão para baixo. Até o seu bebê.

Malorie não consegue ver a expressão da amiga. Mas a voz revela a transformação que ela sofreu.

— Como é que é? Vai me dizer agora como criar meu filho? Que tipo de *vagabunda* você é? Que tipo de...?

As palavras de Olympia se transformam num grunhido gutural.

Essa história de insanidade.

As palavras doentes e perigosas de Gary.

Olympia está uivando.

O bebê de Malorie está coroando. Ela faz força para empurrá-lo.

Com uma força que não sabia que tinha, Malorie se arrisca para a frente na toalha. Quer o filho de Olympia. Vai protegê-lo.

Então, em meio a toda aquela dor e loucura, Malorie ouve o primeiro choro do bebê de Olympia.

Feche os olhos dele.

Por fim, o filho de Malorie também nasce e a mão dela está pronta para tapar os olhos dele. Sua cabeça é tão macia... Ela acha que o alcançou a tempo.

— Venha aqui — diz, levando o bebê ao peito. — Venha aqui e feche os olhos.

Gary ri, ansioso, do outro lado do sótão.

— Incrível! — exclama ele.

Malorie tateia em busca da faca. Encontra-a e corta o próprio cordão umbilical. Depois corta duas faixas da toalha ensanguentada debaixo dela. Sente o órgão genital do bebê e percebe que é um menino, mas não tem ninguém para quem contar essa descoberta. Nenhuma irmã. Nenhuma mãe. Nenhum pai. Nenhuma enfermeira. Nenhum Tom. Ela o aperta no peito com força.

Devagar, amarra um pedaço de toalha em torno dos olhos do filho.

Quão importante é a criança ver o rosto da mãe quando chega ao mundo?

Ela ouve a criatura se mover atrás de si.

— Bebê — diz Olympia, mas sua voz está rouca. Parece que está usando a voz de uma mulher mais velha. — Meu *bebê* — gralha ela.

Malorie desliza para a frente. Os músculos de seu corpo resistem. Ela tenta alcançar o filho de Olympia.

— Pronto — diz, às cegas. — Pronto, Olympia. Me entregue o bebê. Me deixe vê-lo.

Olympia grunhe.

— Por que eu deveria deixar *você* ver? Para que quer pegar o meu filho? Ficou *maluca*?

— Não. Só quero vê-lo.

Os olhos de Malorie continuam fechados. O sótão está em silêncio. A chuva cai com suavidade no telhado. Malorie desliza para a frente, ainda sobre o sangue expulso por seu corpo.

— Posso? Posso apenas vê-la? É uma menina, não é? Você acertou o sexo?

Malorie ouve algo tão chocante que fica paralisada no meio do chão do sótão.

Olympia está mastigando alguma coisa. Ela sabe que é o cordão umbilical.

O estômago de Malorie fica embrulhado. Ela mantém os olhos bem fechados. Vai vomitar.

— Posso vê-la? — pergunta.

— Tome. *Tome!* — diz Olympia. — Olhe para ela. *Olhe para ela!*

Enfim, as mãos de Malorie pegam o bebê da amiga. É uma menina.

Olympia se levanta. Parece pisar em uma poça de chuva. Mas Malorie sabe que é sangue. Placenta, suor e sangue.

— Obrigada — sussurra Malorie. — Obrigada, Olympia.

Essa ação, a entrega da criança, marcará Malorie para sempre. O momento em que Olympia fez a coisa certa para a filha, apesar de já ter perdido a sanidade.

Malorie amarra o segundo pedaço de toalha em torno dos olhos da neném.

Olympia anda na direção da janela coberta. Para onde Gary está.

A coisa está esperando, parada, atrás de Malorie.

Ela segura os dois bebês, protegendo ainda mais os olhos deles com os dedos sangrentos e molhados. Ambos choram.

E, de repente, Olympia parece mexer em alguma coisa, deslizar algo.

Como se estivesse tentando escalar.

— Olympia?

Parece que ela está montando alguma coisa.

— Olympia? O que você está fazendo, Olympia? Gary, faça ela parar. *Por favor*, Gary.

As palavras de Malorie são inúteis. Gary é o mais louco de todos.

— Vou lá para fora, senhor — diz Olympia para Gary, que deve estar perto dela. — Já faz *muito* tempo que estou aqui dentro.

— Olympia, *pare.*

— Vou *LÁ PARA FORA* — diz ela.

Sua voz parece ao mesmo tempo a de uma criança e a de uma centenária no leito de morte.

— *Olympia!*

É tarde demais. Malorie ouve o vidro da janela do sótão se espatifar. Algo atinge a casa.

Silêncio. No andar de baixo. No sótão. Então Gary diz:

— Ela se enforcou! *Ela se enforcou com o próprio cordão umbilical!*

Não. Por favor, Deus, não deixe que esse homem descreva a cena para mim.

— Está pendurada pelo próprio cordão! É a coisa mais *incrível* que já vi! Ela se enforcou com o próprio cordão umbilical!

Há alegria, felicidade na voz dele.

A coisa se move atrás dela. Malorie está no epicentro de toda aquela loucura. A loucura antiga. Do tipo que as pessoas costumavam manifestar na guerra, em divórcios, com a pobreza e depois de saber que a amiga está...

— Pendurada pelo próprio cordão umbilical! Pelo *próprio cordão*!

— *Cale a boca!* — grita Malorie, sem enxergar. — *Cale a boca!*

Mas suas palavras ficam sufocadas quando sente que a coisa atrás dela está se aproximando. Parte da criatura (*o rosto?*) passa perto dos lábios dela.

Malorie apenas respira. Não se mexe. O sótão está em silêncio.

Ela consegue sentir o calor, a quentura, da coisa ao seu lado.

Shannon, pensa, *olhe para as nuvens. Elas se parecem com a gente. Comigo e com você.*

Malorie aumenta a pressão sobre os olhos dos bebês.

E ouve a coisa atrás de si se retrair. Parece que está se afastando de Malorie. Indo para mais longe.

A criatura se detém. Para.

Ao escutar a escada de madeira ranger e ter certeza de que é o som de alguém descendo, Malorie solta o soluço mais profundo que qualquer som que já emitiu.

Os passos ficam distantes. Silenciosos. Então desaparecem.

— A coisa foi embora — conta Malorie aos bebês.

Agora ela ouve Gary se mover.

— Não chegue *perto* da gente! — grita Malorie, de olhos fechados. — Não *toque* na gente!

Ele não toca nela. Apenas passa e a escada range de novo.

Ele desceu. Foi ver quem sobreviveu. E quem morreu.

Ela respira ofegante, sente a dor da exaustão. Da perda de sangue. Seu corpo lhe diz que ela precisa dormir, *dormir.* Estão sozinhos no sótão, Malorie e os bebês. Ela começa a se deitar. Precisa fazê-lo. Em vez disso, espera. Escuta. Descansa.

Quanto tempo está passando? Por quanto tempo fiquei com os bebês no colo?

Mas um novo som interrompe seu descanso. Está vindo do andar de baixo. Um som muito comum no velho mundo.

Olympia está pendurada (*foi isso que ele disse foi isso que ele disse*) na janela do sótão.

Com o vento, o corpo dela bate na casa.

E agora algo toca no primeiro andar.

É o telefone. O telefone está tocando.

Malorie quase fica hipnotizada pelo som. Há quanto tempo ela não ouve algo parecido?

Alguém está ligando para eles.

Alguém está ligando *de volta.*

Malorie se vira, deslizando sobre os resíduos do parto. Põe a menina no colo, então a cobre gentilmente com a própria blusa. Usando a mão livre, tateia até encontrar a escada. É íngreme. É antiga. Nenhuma mulher que acabou de dar à luz deveria ter que enfrentá-la.

Mas o telefone está tocando. Alguém está retornando uma ligação. E Malorie vai atender.

Triiiiiiiiiim

Apesar das vendas feitas com a toalha, ela pede que os bebês mantenham os olhos fechados.

Essa ordem será a mais frequente que ela dará aos filhos nos próximos quatro anos. E nada vai impedi-la de dizer isso, mesmo que sejam jovens demais para entender.

Triiiiiiiiiim

Sentada, ela escorrega até a beira da escada. Ergue as pernas para colocar os pés no primeiro degrau. Seu corpo grita, pedindo que pare.

Mas ela continua a descer.

Agora está no andar de baixo. Segura o menino com o braço direito, a palma da mão sobre o rosto dele. A garota está dentro de sua blusa. Os olhos de Malorie estão fechados, o mundo está preto e ela precisa tanto dormir que poderia simplesmente cair da escada e mergulhar no sono. Mas ela anda, dá passos, usando o telefone como guia.

Triiiiiiiiiiiiiiiiiiiiiiiiiiiiiiiiiiiiiiiiim

Seus pés encostam no carpete azul-claro do corredor branco no segundo andar. De olhos fechados, ela não vê essas cores, assim como não vê Jules deitado de bruços junto à parede do lado direito, com cinco faixas sangrentas que vão da altura da cabeça de Malorie até onde as mãos do amigo tocam o chão.

No topo da escada, ela hesita. Respira fundo. Acredita que é capaz de fazer isso. Então continua.

Passa por Cheryl, mas não percebe. Ainda não. A cabeça de Cheryl está voltada para o primeiro andar, mas os pés ainda estão no segundo. Seu corpo está contorcido de uma maneira horrível e não natural.

Sem saber, Malorie passa a centímetros dela.

Quase toca em Felix ao pé da escada. Mas acaba não encostando nele. Mais tarde, perderá o fôlego ao sentir os buracos no rosto do amigo.

Triiiiiiiiiiiiiiiiiiiiiiiiiiiiiiiiiiiiiiiiiiiiiiiiiiim

Ela não faz ideia de que passa ao lado de um dos huskies. Ele está jogado numa parede, manchada de roxo-escuro.

Malorie quer perguntar: *Tem alguém aqui ainda?* Quer gritar essa pergunta. Mas o telefone continua tocando e ela acha que não vai parar até alguém atender.

Malorie segue o som, apoiando-se na parede.

A chuva e o vento entram pelas janelas quebradas.

Tenho que atender ao telefone.

Se estivesse de olhos abertos, ela não suportaria ver a quantidade de sangue na casa.

Triiiiiiiiiiiiiiiiiiiiiiiiiiiiiiiiiiiiiiiiiiiiiiim

Ela verá tudo aquilo depois. Mas agora o telefone soa muito alto, muito próximo.

Malorie se vira, apoia as costas na parede e então escorrega, sentindo uma dor excruciante, até o carpete. O telefone está na mesinha de canto. Cada parte de seu corpo dói e arde. Colocando o garoto com a menina em seu colo, ela estende a mão e tateia, procurando o telefone que toca sem parar.

— Alô.

— Alô.

É um homem. A voz dele está tão calma... Tão horrivelmente deslocada.

— Quem está falando? — pergunta Malorie.

Ela mal consegue acreditar que está usando um telefone.

— Meu nome é Rick. Recebemos a mensagem de vocês alguns dias atrás. Acho que podemos dizer que estávamos ocupados. Qual é o seu nome?

— Quem está falando?

— Vou repetir: meu nome é Rick. Um homem chamado Tom deixou uma mensagem para a gente.

— Tom.

— É. Ele mora aí, não é?

— Meu nome é Malorie.

— Você está bem, Malorie? Parece triste.

Ela respira fundo. Acha que nunca mais ficará bem.

— Estou — responde. — Estou bem.

— Não temos muito tempo. Você tem vontade de sair de onde está? Se instalar em um lugar mais seguro? Suponho que a resposta seja sim.

— Sim — diz Malorie.

— Então faça o seguinte. Anote se puder. Tem uma caneta?

Malorie diz que sim e pega a caneta ao lado da lista telefônica de Tom.

Os bebês choram.

— Parece que tem um bebê com você.

— Tem.

— Imagino que seja por isso que você queira encontrar um lugar melhor. A indicação é a seguinte, Malorie. Pegue o rio.

— O quê?

— Pegue o rio. Sabe onde é?

— S-sei. Sei onde é. Ele passa bem atrás da casa. A oitenta metros do poço, pelo que me falaram.

— Ótimo. Pegue o rio. É a coisa mais perigosa que você pode fazer, mas imagino que, se você e Tom sobreviveram até hoje, vão conseguir. Encontrei o endereço de vocês no mapa e parece que vão ter que viajar por pelo menos uns trinta quilômetros. Bem, o rio vai se dividir...

— Vai o quê?

— Desculpe. Devo estar falando rápido demais. Mas estou lhe dando indicações de um lugar melhor.

— Como assim?

— Bem, não temos janelas. Temos água corrente. E cultivamos nossa própria comida. É o lugar mais completo que deve existir hoje em dia. Há muitos quartos. Bons quartos. A maioria de nós acha que está melhor agora do que antes.

— E quantas pessoas estão aí?

— Cento e oito.

Poderia ser qualquer número para Malorie. Ou poderia ser um número infinito.

— Mas primeiro me deixe explicar como chegar até aqui. Seria uma tragédia se a ligação caísse antes de você saber para onde ir.

— Está bem.

— O rio vai se dividir em quatro canais. O que você precisa pegar é o segundo à direita. Então não adianta se agarrar à margem direita e torcer para conseguir chegar. É complicado. E você vai ter que abrir os olhos.

Malorie balança a cabeça devagar. *Não.*

Rick continua:

— E é assim que vai saber que chegou a hora — explica o homem. — Vai ouvir uma gravação. Uma voz. Não podemos ficar o dia inteiro, todos os dias, na beira do rio. É perigoso demais. Em vez disso, instalamos um alto-falante lá. É ativado por movimento. Conhecemos bem a floresta e o rio próximos à nossa instituição por meio de aparelhos como esse. Quando o alto-falante é ligado, a gravação toca sem parar por trinta minutos. Você vai ouvir. É sempre o mesmo trecho de quarenta segundos que se repete. É alta. Clara. E, quando ouvir, vai ter que abrir os olhos.

— Obrigada, Rick. Mas não posso fazer isso.

A voz dela está apática. Destruída.

— Entendo que seja assustador. É claro que é. Mas esse é o desafio, imagino. Não há outro jeito.

Malorie pensa em desligar. Mas Rick continua:

— Muitas coisas boas estão acontecendo aqui. Avançamos mais a cada dia. É claro que não chegamos nem perto de onde gostaríamos. Mas estamos tentando.

Malorie começa a chorar. As palavras, o que aquele homem está lhe dizendo... É esperança que ele lhe dá? Ou é alguma variação mais profunda do completo desespero que ela já está sentindo?

— Se eu fizer o que está me dizendo para fazer — pergunta Malorie —, como vou achar vocês dali?

— Da divisão do rio?

— É.

— Temos um sistema de alarme. É a mesma tecnologia usada para acionar a gravação que você vai ouvir. Quando pegar o canal correto, vai percorrer mais uns cem metros. Então vai acionar nosso alarme. Uma cerca será baixada. Você ficará presa. E vamos verificar o que foi pego pela nossa cerca.

Malorie estremece.

— Ah, é? — pergunta.

— É. Você parece cética.

Imagens do velho mundo passam rapidamente pela cabeça de Malorie, mas, com cada lembrança, vem uma coleira, uma corrente e também a sensação instintiva que lhe diz que aquele homem e aquele lugar podem ser bons, ruins, melhores do que aquela casa, ou piores; não importa: ela nunca mais se sentirá livre.

— Quantas pessoas moram aí? — pergunta Rick.

Malorie ouve o silêncio da casa. As janelas estão quebradas. É provável que a porta esteja aberta. Ela deveria se levantar. Fechar a porta. Cobrir as janelas. Mas parece que tudo está acontecendo com outra pessoa.

— Três — responde ela, desanimada. — Se o número mudar...

— Não se preocupe com isso, Malorie. Pode vir com quantos quiser. Temos espaço suficiente para algumas centenas de pessoas e estamos trabalhando para aumentar esse número. Só venha assim que puder.

— Rick, você pode vir me ajudar agora?

Ela ouve o homem respirar fundo.

— Desculpe, Malorie. É arriscado demais. Precisam de mim aqui. Entendo que isso pareça egoísta. Mas infelizmente você vai ter que vir até a gente.

Malorie assente, em silêncio. Em meio ao sangue, a perda e a dor, ela respeita o fato de que ele quer ficar em segurança.

Só que não posso abrir os olhos agora e tenho dois recém-nascidos no colo que ainda não viram o mundo, e o cômodo cheira a xixi, sangue e morte. O ar entra depressa lá de fora. Está frio e eu sei que isso significa que a janela está quebrada ou que a porta da frente está aberta. Tão perigosamente aberta. Então tudo isso parece bom, Rick, de verdade, mas nem sei como vou chegar ao banheiro, muito menos navegar um rio por sessenta quilômetros ou seja lá o que você tenha dito.

— Malorie, vou conferir se você está bem. Vou ligar de novo. Ou você acha que virá para cá imediatamente?

— Não sei. Não sei quando vou poder ir.

— Tudo bem.

— Mas obrigada.

Esse parece ter sido o agradecimento mais sincero de toda a vida dela.

— Vou ligar daqui a uma semana, Malorie.

— Está bem.

— Malorie?

— Oi.

— Se eu não ligar, pode ser que a nossa linha tenha sido enfim cortada. Ou que a sua tenha sido cortada. Mas confie quando digo que estaremos aqui. Pode vir a qualquer hora. Estaremos aqui.

— Está bem — responde ela.

Rick dá o número de seu telefone. Com a caneta, Malorie anota sem enxergar numa página da lista telefônica aberta.

— Tchau, Malorie.

— Tchau.

Apenas uma conversa simples e banal ao telefone.

Malorie desliga. Então baixa a cabeça e chora. Os bebês se mexem em seu colo. Ela chora por mais vinte minutos, ininterruptos, até que grita quando ouve algo arranhar a porta do porão. É Victor. Está latindo para que o deixem sair dali. De alguma forma, por alguma bênção divina, ele foi trancado no porão. Talvez Jules, ao notar o que estava prestes a acontecer, tenha feito isso.

Depois de pendurar os cobertores de volta e fechar as portas, ela usará uma vassoura para vasculhar cada centímetro da casa à procura de criaturas. Seis horas se passarão até Malorie se sentir segura o bastante para abrir os olhos. E então ela verá o que aconteceu na casa enquanto paria.

No entanto, antes disso, com os olhos bem fechados, Malorie ficará de pé e voltará pela sala de estar até chegar ao topo da escada do porão.

E lá vai esbarrar no corpo de Tom.

Ela não saberá que é ele, apenas achará que seu pé encostou em um saco de açúcar ao se ajoelhar diante do balde de água do poço e começar o difícil trabalho de limpar as crianças e a si mesma.

Ela falará várias vezes com Rick nos meses seguintes. Mas logo as linhas telefônicas pararão de funcionar.

Malorie levará seis meses para lavar a casa de todos os corpos e do sangue. Encontrará Don no chão da cozinha, tentando chegar ao porão. Como se tivesse corrido até lá, enlouquecido, para pedir que Gary devolvesse sua sanidade. Ela procurará Gary. Em todos os cantos. Mas nunca encontrará qualquer sinal dele. Sempre ficará atenta a ele. À possibilidade dele. Lá fora. No mundo.

A maioria dos moradores da casa será enterrada em um semicírculo em torno do poço, no quintal. Ela sempre sentirá os montinhos irregulares, as covas que cavou e preencheu vendada, sempre que sair para pegar água para si mesma ou para as crianças.

Tom será enterrado mais perto da casa. Na área gramada à qual leva as crianças, vendadas, para respirarem ar fresco. Um lugar, espera ela, onde seus espíritos estejam mais livres.

Quatro anos se passarão até que ela decida ir para o lugar que Rick descreveu ao telefone.

Mas, por enquanto, Malorie apenas se lava. Agora ela apenas limpa os bebês. E os bebês choram.

quarenta e três

A voz gravada de Tom toca de novo.

Ele está deixando uma mensagem.

— ... Rua Shillingham, 273... Meu nome é Tom... Tenho certeza de que vocês sabem o alívio que estou sentindo ao ser atendido pela sua secretária eletrônica...

A venda ainda está a um centímetro dos olhos fechados de Malorie.

Ela ergue uma das mãos e leva os dedos ao tecido negro. Por um instante, tanto ela quanto a criatura seguram a mesma venda. Essa criatura, ou outras iguais a ela, roubaram Shannon, a mãe e o pai de Malorie, além de Tom. Aquela coisa e suas semelhantes roubaram a infância das crianças.

De certa maneira, Malorie não está com medo. Já fizeram tudo que podiam a ela.

— Não — diz, puxando o tecido. — Isso é meu.

Por um instante, nada acontece. Então algo toca seu rosto. Malorie faz uma careta. Mas é apenas o tecido, voltando ao lugar, sobre seu nariz e suas têmporas.

Você vai ter que abrir os olhos.

É verdade. A voz gravada de Tom significa que ela chegou ao local onde os canais se dividem, como Rick explicou. Ele fala como fazia antigamente na sala de estar da casa: *Talvez elas não queiram nos machucar. Talvez fiquem surpresas com o efeito que têm sobre nós. É uma intercessão, Malorie. Do mundo delas com o nosso. Só um acidente. Talvez elas não gostem nem um pouco de nos machucar.*

No entanto, quaisquer que sejam as intenções das criaturas, Malorie tem que abrir os olhos, e há pelo menos uma delas por perto.

Ela já viu as crianças fazerem coisas incríveis. Uma vez, depois de folhear a lista telefônica, o Garoto gritou avisando que ela estava na página cento e seis. Ele quase acertou. E Malorie sabe que vai precisar que realizem uma façanha desse tipo agora.

Há um movimento na água à sua esquerda. A criatura não está mais curiosa sobre a venda e está indo embora, ou está esperando para ver o que Malorie fará em seguida.

— Garoto? — chama ela.

Malorie não precisa dizer mais nada. Ele entende seu chamado.

Primeiro fica em silêncio. Ouvindo. Então afirma:

— Ela está indo embora, mamãe.

Apesar dos pássaros em guerra a distância e da voz linda e tranquilizante de Tom saindo do alto-falante, parece que aquele é um instante de silêncio. O silêncio que emana daquela coisa.

Onde ela *está* agora?

O barco, solto, é puxado pela correnteza. Malorie sabe que o som da água adiante é o da divisão do rio. Ela não tem muito tempo.

— Garoto — chama, com a garganta seca. — Está ouvindo alguma outra coisa?

Ele fica em silêncio.

— Garoto?

— Não, mamãe, não estou.

— Tem certeza? Certeza absoluta?

Ela parece histérica. Preparada ou não, o momento chegou.

— Tenho, mamãe. Estamos sozinhos de novo.

— Para onde ela foi?

— Foi embora.

— Em qual direção?

Silêncio. Então:

— Está atrás de nós, mamãe.

— Menina?

— É. Está atrás de nós, mamãe.

Malorie fica quieta.

As crianças disseram que a coisa está atrás deles.

Se há algo em que ela pode confiar no novo mundo, é no fato de tê-las treinado bem.

Ela confia nos filhos.

Tem que confiar.

Agora estão na mesma altura da voz de Tom. Parece que ele está no barco com Malorie e as crianças.

Ela engole em seco.

Limpa as lágrimas dos lábios.

Respira fundo.

Então sente. A mesma coisa que sentiu quando Tom e Jules voltaram para casa. A mesma coisa que sentiu quando acharam que estavam mandando Gary embora.

O Intervalo.

Entre decidir abrir os olhos e abri-los.

Malorie se vira para os canais e abre os olhos.

De início, precisa apertá-los. Não por causa do sol, mas por causa das *cores.*

Ela arqueja e leva a mão à boca.

Não há pensamentos, preocupações, ansiedades ou esperanças em sua mente. Ela não conhece palavras que possam explicar o que está vendo.

É um caleidoscópio. Interminável. *Magnífico.*

Olhe, Shannon! Aquela nuvem parece a Angela Markle da minha turma!

Antigamente, ela poderia ter olhado para um mundo duas vezes mais iluminado e nem teria precisado semicerrar os olhos. Agora, a beleza machuca.

Malorie poderia olhar para sempre. Com certeza por mais alguns segundos. Mas a voz de Tom a impulsiona.

Como se estivesse em câmera lenta, ela se inclina para o local de onde vem a voz do amigo, saboreando cada palavra dele. Parece que Tom está de pé ali. Dizendo a ela que está quase lá. Malorie entende que não pode guardar as cores que está vendo. Tem que fechar os olhos de novo. Tem que se isolar de toda aquela maravilha, daquele mundo.

Ela fecha os olhos.

Volta para a escuridão que conhece tão bem.

Começa a remar.

Enquanto se aproxima do segundo canal à direita, parece que está remando junto aos anos. Às lembranças. Ela rema com a pessoa que era quando descobriu que estava grávida, quando encontrou Shannon morta, quando respondeu ao anúncio do jornal. Rema com a pessoa que era quando chegou à casa, conheceu os moradores e concordou em deixar Olympia entrar. Rema com a pessoa que era quando Gary apareceu. Rema consigo mesma, sobre uma toalha no sótão, enquanto Don arrancava os cobertores das janelas do primeiro andar.

Ela está mais forte. Mais corajosa. Sozinha, criou duas crianças *neste* mundo.

Malorie mudou.

O barco balança de repente quando encosta em uma das margens do canal. Malorie entende que entraram nele.

Dali, ela rema como a pessoa que era quando ficou sozinha com as crianças. Quatro anos. Treinando as duas. Criando as duas. Mantendo-as a salvo de um mundo exterior que deve ter se tornado mais perigoso a cada dia. Ela rema também com Tom e com as muitas coisas que ele disse, as inúmeras coisas que ele fez e desejou, que a inspiraram, a incentivaram e a fizeram acreditar que é melhor enfrentar a loucura com um plano do que ficar parado e deixar que ela nos alcance aos poucos.

O barco está se movendo mais rápido agora. Rick disse que ela percorreria apenas cem metros até o alarme.

Ela rema com a pessoa que era quando acordou hoje. A pessoa que achou que uma neblina poderia protegê-la e às crianças de alguém como Gary, que ainda poderia estar por lá, observando os três descerem o rio. Ela rema com a pessoa que era quando o lobo a atacou. Quando o homem no barco enlouqueceu. Quando os pássaros enlouqueceram. E quando a criatura, a coisa que ela teme mais do que tudo, brincou com sua única proteção.

A venda.

Pensando no tecido e em tudo que ele significa, Malorie ouve o que parece ser uma enorme explosão metálica.

O barco bate em alguma coisa. Malorie confere depressa se as crianças estão bem.

É a cerca, ela sabe. Eles acionaram o alarme de Rick.

Com o coração disparado e notando que não precisa mais remar, Malorie vira a cabeça para o céu e grita. É alívio. É raiva. É tudo.

— Estamos aqui — berra. — *Estamos aqui!*

Das margens, eles ouvem movimentos. Algo está indo depressa na direção do barco.

Malorie agarra os remos. Parece que suas mãos vão continuar naquela posição para sempre.

Enquanto se encolhe, algo encosta no braço dela.

— Está tudo bem! — diz uma voz. — Meu nome é Constance. Está tudo bem. Estou com Rick.

— Seus olhos estão abertos?

— Não. Estou usando uma venda.

A mente de Malorie se enche de sons familiares distantes.

É assim que é a voz de uma mulher. Ela não ouviu nenhuma outra desde que Olympia enlouqueceu.

— Trouxe duas crianças comigo. Somos só nós três.

— Crianças? — pergunta Constance, ficando animada de repente. — Pegue a minha mão. Vamos tirar você do barco. Vou levá-la até Tucker.

— Tucker?

Malorie hesita.

— É, vou mostrar a você. É lá que a gente mora. Nossa instituição.

Constance ajuda Malorie a segurar as crianças. Todos estão de mãos dadas quando Malorie é puxada do barco.

— Vai ter que me desculpar por estar com uma arma — diz Constance, tímida.

— Uma arma?

— Você deve imaginar as espécies de animais que já acionaram a nossa cerca. Estão feridos? — pergunta Constance.

— Eu estou. Sim.

— Temos remédios. E médicos.

Os lábios de Malorie racham de forma dolorosa quando ela abre o sorriso mais largo que já abriu em mais de quatro anos.

— Remédios?

— É. Remédios, ferramentas, papel. Tanta coisa.

Devagar, eles começam a andar. O braço de Malorie agarra com força o ombro de Constance. Ela não consegue andar sozinha. As crianças seguram na calça de Malorie e a seguem, vendadas.

— Duas crianças — comenta Constance, com a voz suave. — Nem imagino o que vocês enfrentaram hoje.

Ela diz *hoje*, mas ambas sabem que quer dizer há anos.

Sobem uma ladeira e o corpo de Malorie estremece de dor. Então o solo muda de repente. Concreto. Uma calçada. Malorie ouve um leve clique.

— O que é isso?

— Esse barulho? — pergunta Constance. — É uma bengala. Mas não precisamos mais dela. Chegamos.

Malorie a ouve bater depressa em uma porta.

O que parece um metal pesado range, abrindo, e Constance os guia para dentro.

A porta bate atrás dos quatro.

Malorie sente o cheiro de coisas que não sentia há anos. Comida. Comida *cozida*. Serragem, como se alguém estivesse construindo alguma coisa. Ela também está ouvindo. O zumbido baixo de uma máquina. Várias máquinas funcionando ao mesmo tempo. O ar parece limpo e fresco e o som de conversas ecoa ao longe.

— Vocês podem abrir os olhos agora — diz Constance, com gentileza.

— *Não!* — grita Malorie, agarrando o Garoto e a Menina. — As crianças, não! Eu vou abrir primeiro.

Alguém se aproxima. Um homem.

— Meu *Deus* — diz ele. — É você mesmo? *Malorie?*

Ela reconhece a voz fraca e rouca do homem. Anos antes, ouviu aquela voz no outro lado da linha do telefone. Debateu, consigo mesma, durante quatro longos anos, se voltaria a ouvir aquela voz.

É Rick.

Malorie puxa a venda e abre os olhos devagar, apertando-os sob a forte luz branca da instituição.

Eles estão em um amplo corredor cheio de luz. É tão claro que Malorie mal consegue manter os olhos abertos. É uma enorme escola. O teto é alto, com painéis de luz que fazem Malorie se sentir como se estivesse ao ar livre. Paredes compridas chegam ao teto cobertas de quadros de avisos. Mesas. Cristaleiras. Não há janelas, mas o ar parece fresco e puro, como o do lado de fora. O chão é limpo e frio, o corredor é feito de tijolos, e é muito comprido. Virando-se para Rick, ela encara o rosto enrugado e entende.

Os olhos dele estão abertos, mas não focalizam nada. Estão imóveis, cinzentos e vidrados. Já faz anos que perderam o brilho. Os volumosos cabelos castanhos, longos e desgrenhados, caídos sobre as orelhas, não escondem uma cicatriz profunda e descolorida próxima ao olho esquerdo. Ele toca nela, apreensivo, como se sentisse o olhar de Malorie. Ela nota a bengala de madeira, gasta e estranha, feita a partir de algum galho quebrado.

— Rick — diz Malorie, puxando as crianças mais para perto atrás de si —, você é cego.

Ele confirma com um aceno de cabeça.

— Sou, Malorie. Muitos de nós aqui somos. Mas Constance pode ver tanto quanto você. Conseguimos realizar muitas coisas.

Devagar, Malorie olha para as paredes em volta, absorvendo tudo. Cartazes escritos à mão registram o progresso da recuperação da instituição e folhetos estabelecem tarefas diárias de agricultura e purificação de água, além de mostrar um quadro de horários para avaliação médica, cheio de consultas marcadas.

Os olhos de Malorie param no teto acima de sua cabeça. Em letras de metal presas em um arco de tijolos, ela lê:

ESCOLA PARA CEGOS JANE TUCKER

— O homem... — Rick hesita. — O homem da gravação... Ele não está com você, está?

Malorie sente o coração disparar e engole em seco.

— Malorie? — indaga ele, preocupado.

Constance toca o ombro de Rick e sussurra, baixinho:

— Não, Rick. O homem não está com eles.

Malorie dá um passo para trás, ainda agarrando as crianças, andando na direção da porta.

— Ele morreu — responde ela, rígida, examinando o corredor em busca de outras pessoas.

Não confia neles. Ainda não.

Rick começa a bater de leve no chão com a bengala, aproximando-se de Malorie, e estende a mão para tocá-la.

— Malorie... Entramos em contato com muitas pessoas com o passar dos anos, mas menos do que você imagina. Quem sabe quantos de nós ainda estão vivos lá fora? E quem sabe quantos estão sãos? Você era a única pessoa que a gente esperava que viesse pelo rio. O que não significa que nenhuma outra pessoa não pudesse aparecer, é claro, mas, depois de pensarmos com cuidado, achamos que a voz de Tom não só avisaria a você que tinha chegado, mas também faria com que estranhos percebessem que havia algum lugar civilizado por perto, se fossem pegos pela cerca. Se eu soubesse que ele não estava mais com você, teria insistido em usar outra coisa. Por favor, aceite minhas desculpas.

Ela o analisa atentamente. A voz de Rick soa esperançosa, até mesmo otimista. Malorie não ouve um tom de voz como o dele há muito tempo. Apesar disso, o rosto de Rick expressa o estresse e o peso de viver no novo mundo assim como o dela. Como o dos moradores da casa, muitos anos antes.

Enquanto ele e Constance começam a explicar como a instituição funciona, os campos de batata e abóbora, a colheita de frutas vermelhas no verão, a forma de purificar a água da chuva, Malorie vê uma sombra se mover atrás da cabeça de Rick.

Um pequeno grupo de mulheres jovens sai de uma sala usando roupas simples, azul-claras. Elas batem as bengalas no chão, as mãos estendidas à frente. As mulheres andam em silêncio, como fantasmas, passam por Malorie e ela sente o estômago embrulhar ao ver os olhos vazios e cavernosos delas. Sente-se zonza, enjoada, como se fosse vomitar.

Onde deveriam estar os olhos das mulheres há duas enormes cicatrizes escuras.

Malorie agarra os filhos com ainda mais força. Eles enterram a cabeça nas pernas da mãe.

Constance estende a mão para ela, mas Malorie se afasta, procurando a venda no chão, desesperada, arrastando as crianças consigo.

— Ela viu as moças — diz Constance a Rick.

Ele assente.

— Fiquem longe da gente! — implora Malorie. — Não *encostem* na gente. Não se *aproximem* da gente! O que está *havendo* aqui?!

Constance olha por cima do ombro e vê que as mulheres estão saindo do corredor. O local está em silêncio, exceto pela respiração ofegante e pelo choro baixinho de Malorie.

— Malorie — começa Rick —, era assim que lidávamos com as coisas *antes. Precisávamos fazer isso.* Não havia escolha. Quando chegamos aqui, estávamos passando fome. Como colonizadores esquecidos em uma terra desconhecida e hostil. Não tínhamos as comodidades que temos agora. Precisávamos de comida. Então íamos caçar. Infelizmente, também não tínhamos a segurança que temos agora. Uma noite, enquanto um grupo estava do lado de fora, procurando comida, uma criatura entrou. Perdemos muitas pessoas naquele dia. Uma mãe, que até então estava totalmente racional, surtou e matou quatro crianças em um ataque de fúria. Levamos meses para nos recuperar, para nos reconstruir. Juramos nunca mais correr aquele risco. Pelo bem de toda a comunidade.

Malorie olha para Constance, que não tem cicatriz alguma.

— Não era uma questão de escolha — continua Rick. — Nós nos cegamos com o que tínhamos: garfos, facas de cozinha, nossos dedos... A cegueira, Malorie, era a proteção absoluta. Mas isso era o jeito antigo. Não fazemos mais. Depois de um ano, percebemos que tínhamos fortificado o lugar o bastante para tirar esse peso horrível dos ombros. Até hoje, nunca houve outra falha de segurança.

Malorie pensa em George e no vídeo, nos experimentos fracassados. Ela se lembra de como quase cegou seus filhos num ato de sacrifício desesperado.

Constance enxerga. Ela não é cega. Se tivesse tido coragem de vir para cá quatro anos atrás, pensa Malorie, *quem sabe o que teria acontecido com você. Com as crianças.*

Rick se apoia em Constance.

— Se você estivesse aqui, teria entendido.

Malorie está assustada. Mas ela *de fato* entende. E, em seu desespero, quer confiar naquelas pessoas. Quer acreditar que levou as crianças para um lugar melhor.

Virando-se, vê um reflexo de si mesma em uma janela. Ela mal se parece com a mulher que foi um dia, quando conferiu a própria barriga no banheiro, enquanto Shannon, do outro cômodo, gritava sobre as notícias na TV. Seu cabelo está ralo, desbotado, imundo de sujeira e sangue de tantos pássaros. Seu couro cabeludo, vermelho e machucado, está visível em alguns pontos. Seu corpo está esquálido. Os ossos em seu rosto mudaram: os traços delicados foram substituídos por feições retas e angulosas, a pele está esticada e sem vida. Ela abre um pouco a boca e revela um dente quebrado. A pele está suja de sangue, cheia de hematomas e pálida. A ferida profunda causada pelo lobo marca seu braço inchado. Mesmo assim, ela consegue ver que algo poderoso queima dentro da mulher no reflexo. Um fogo que a moveu durante quatro anos e meio, que exigiu que ela sobrevivesse, que a ordenou a arranjar uma vida melhor para as crianças.

Exausta, livre da casa e do rio, Malorie cai de joelhos. Ela tira as vendas das crianças. Os olhos de seus filhos se abrem, piscando e lutando com as luzes fortes. O Garoto e a Menina encaram tudo impressionados, quietos e desconfiados. Não entendem onde estão e olham para Malorie em busca de orientação. Este é o primeiro lugar que veem fora da casa onde viveram a vida toda.

Nenhum dos dois chora. Nenhum reclama. Apenas encaram Rick e ouvem.

— Como eu disse — continua Rick, com cuidado —, conseguimos fazer muitas coisas aqui. A instituição é muito maior do que esse corredor sugere. Cultivamos nossa própria comida e conseguimos capturar alguns animais. Temos galinhas para nos dar ovos frescos, uma vaca que nos fornece leite e duas cabras que conseguimos criar. Um dia, em breve, esperamos sair para procurar mais animais e formarmos uma pequena fazenda.

Ela respira fundo e pela primeira vez olha para Rick com esperança.

Cabras, pensa. *Além de peixes, as crianças nunca viram um animal vivo.*

— Em Tucker, somos totalmente autossuficientes. Temos uma equipe completa de médicos dedicados a reabilitar os cegos. Este lugar deve trazer certa paz a você, Malorie. Ele faz isso comigo todos os dias.

— E vocês dois? — pergunta Constance, ajoelhando-se ao lado das crianças. — Como se chamam?

É como se essa fosse a primeira vez que a pergunta tivesse importância para Malorie. De repente, há espaço na vida dela para certos luxos como nomes.

— Esta — diz Malorie, pondo a mão ensanguentada na cabeça da Menina — é Olympia.

A Menina olha para a mãe rapidamente. Fica ruborizada. Sorri. Gostou do nome.

— E este — continua Malorie, pressionando o Garoto no seu próprio corpo — é Tom.

Ele sorri, tímido e feliz.

De joelhos, Malorie abraça os filhos e chora lágrimas quentes que são melhores do que qualquer sorriso que já deu.

Alívio.

As lágrimas correm livres e suaves enquanto ela pensa nos moradores da casa trabalhando juntos para pegar água no poço, dormindo no chão da sala de estar, conversando sobre o novo mundo. Ela visualiza Shannon, rindo, encontrando formas e figuras nas nuvens, curiosa, entusiasmada e bondosa, paparicando Malorie.

Ela pensa em Tom. A mente dele sempre ativa, resolvendo um problema. Sempre *tentando.*

Pensa no amor que ele tinha pela vida.

A distância, no longo corredor da escola, mais pessoas saem de outras salas. Rick põe uma das mãos no ombro de Constance e os dois começam a adentrar mais a instituição. É como se todo aquele lugar soubesse dar a Malorie e a seus filhos um instante de privacidade. Como se todos e tudo entendessem que, finalmente, eles estão seguros.

Mais seguros.

Agora, aqui, abraçando os filhos, Malorie acha que a casa e o rio são apenas locais imaginários, perdidos em algum lugar naquele infinito.

Mas aqui ela sabe que não estão tão perdidos.

Nem sozinhos.

agradecimentos

Enquanto escrevia este livro, ouvi falar de uma criatura mitológica conhecida como Advogado. Como essa notícia me foi passada por um grande amigo, logo concordei em conhecer um desses. No caminho, confessei ao dito amigo que não tinha a menor ideia do que alguém como eu poderia fazer com um Advogado. "Não tenho nada a advogar!" Mas meu amigo me tranquilizou — e ele estava certo. Wayner Alexander fez mais do que "advogar" quando leu esta história e me contou várias das suas próprias narrativas, cada uma mais envolvente que a outra.

Logo, Wayne me informou sobre outra criatura mitológica: o Produtor. Quase confessei: "Mas não tenho nada para produzir!" Sem se abalar, Wayne me apresentou a uma dupla de Produtores: Candace Lake e Ryan Lewis, que, assim como Wayne, fizeram muito mais do que seus cargos exigiam. Os dois não apenas leram o manuscrito juntos, mas começaram a brincar com ele, e nossos e-mails somaram mais palavras do que o próprio original. Nesse processo, nós viramos amigos (o telefone de Ryan, na verdade, se tornou uma espécie de caderno para mim, cheio de ideias tão pequenas quanto "Ei! Armários de zeladores são bem assustadores!" e tão ambiciosas quanto "O que você acha de um roteiro para cinema de mil páginas?").

Por fim, Candace e Ryan começaram a falar sobre uma terceira entidade surreal: o Agente. "Mas não tenho nada para agenciar!" Felizmente, eles me empurraram para um. Kristin Nelson logo me ensinou que, apesar de ser uma delícia ter milhares de ideias, também vale muito a pena tornar uma delas apresentável. Nós nos aprofundamos na obra. Kristin e eu alimentamos o livro, o deixamos passar fome, depois o alimentamos de novo. Nós o vestimos com roupas engraçadas, às vezes deixando apenas uma luva ou um chapéu. Em outras, ele cantava para nós dois, quase como os pássaros de Tom, demonstrando que estava feliz.

E quando o livro ficou pronto, Kristin mencionou um quarto e último personagem obscuro: o Editor. Dessa vez, fiquei com *medo*. "Mas agora *tenho* algo para editar! *Ai, meu Deus!*" Na minha imaginação, o Editor meditava numa caverna nas montanhas, era casado com as regras gramaticais e franzia a testa para ficções especulativas. No entanto, é claro, não foi bem assim. Lee Boudreaux é tão artista quanto os escritores com os quais ela trabalha. E as ideias que sugeriu foram ótimas, originais e até assustadoras.

Lee e toda a Ecco, OBRIGADO. E à Harper Voyager no Reino Unido, OBRIGADO.

E, Dave Simmer, meu amigo, obrigado também por me apresentar ao Advogado e por abrir essa porta mítica no começo de tudo.

www.intrinseca.com.br

1ª edição	JANEIRO DE 2015
reimpressão	DEZEMBRO DE 2018
impressão	RR DONNELLEY
papel de miolo	PÓLEN SOFT 70G/M²
papel de capa	CARTÃO SUPREMO ALTA ALVURA 250G/M²
tipografias	CENTURY OLD STYLE E LATIN